Macmillan/McGraw-Hill

Libro interactivo del estudiante

www.macmillanmh.com

StudentWorks Plus™
Libro interactivo del estudiante

Conéctate ▶

OBSERVA 👁	LEE 📕	APRENDE 🖱	DESCUBRE ➤
• Vistazo preliminar a los conceptos y selecciones de la semana	• Lectura palabra por palabra	• Preguntas de comprensión • Actividades de investigación y aprendizaje digital	• Resúmenes y glosario

Conéctate ▶ **Actividades en Internet**
www.macmillanmh.com

• **Actividades interactivas** para la enseñanza guiada y la práctica

IWB **Interactive White Board**

John Parra, ilustrador de la cubierta, nació en Santa Bárbara, California, en un hogar de raíces hispanas. Desde niño le gustó el arte y contó con el apoyo de su familia. Estudió Bellas Artes en el Art Center College of Design de Pasadena, de donde se graduó con honores.

Su obra se exhibió en galerías de las principales ciudades de Estados Unidos. Ganó numerosos premios como ilustrador y diseñador. Enseñó arte e ilustración tanto en escuelas primarias como en universidades. Piensa que todos tenemos un instinto creativo natural y que con el arte, como canal de la imaginación y de la realidad, podemos expresar lo inexpresable. Actualmente vive en Nueva York.

TEXAS Tesoros de lectura

Lectura/Artes del lenguaje

Autores

Elva Durán

Jana Echevarria

David J. Francis

Irma M. Olmedo

Gilberto D. Soto

Josefina V. Tinajero

Macmillan/McGraw-Hill

Contributors

Time Magazine, The Writers' Express, Accelerated Reader

Students with print disabilities may be eligible to obtain an accessible, audio version of the pupil edition of this textbook. Please call Recording for the Blind & Dyslexic at 1-800-221-4792 for complete information.

B

The McGraw·Hill Companies

Macmillan/McGraw-Hill

Published by Macmillan/McGraw-Hill, of McGraw-Hill Education, a division of The McGraw-Hill Companies, Inc., Two Penn Plaza, New York, New York 10121.

Printed in the United States of America

ISBN: 978-0-02-207244-5
MHID: 0-02-207244-6

4 5 6 7 8 9 DOW 13 12 11 10

TEXAS
Tesoros de lectura

Lectura/Artes del lenguaje

Bienvenidos a
Tesoros de lectura

Imagina cómo sería corretear por un prado verde donde pastan las ovejas, o visitar un mundo maravilloso donde los loros tienen poderes mágicos, o aprender sobre los polluelos de pingüino en la Antártida. Tu **libro del estudiante** contiene éstas y otras selecciones premiadas de ficción y no ficción.

Macmillan/McGraw-Hill

Unidad 5

Ciencias
Animales asombrosos

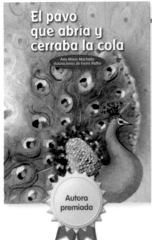

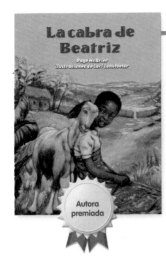

Cuentacuentos

La gran pregunta

¿Qué hace que un equipo sea fuerte?

Conéctate

Busca información sobre qué hace que un equipo sea fuerte en **www.macmillanmh.com**

Un equipo es un grupo de personas que trabajan juntas para hacer algo. Hay muchas clases de equipos, por ejemplo equipos deportivos. Pero, ¿sabías que una familia es un equipo? Los miembros de una banda son un equipo. Los estudiantes de una clase son también un equipo. Hay equipos de doctores, de ingenieros y de científicos.

Un equipo es bueno cuando sus miembros trabajan juntos y se ayudan unos a otros. Un buen equipo de basquetbol no es el que tiene un jugador estrella que encesta todas las canastas. Es el que tiene jugadores que se pasan la pelota y se ayudan unos a otros para hacer las mejores jugadas.

Actividad de investigación

En esta unidad aprenderás acerca de lo que se puede hacer cuando la gente trabaja en equipo. Investiga acerca de un equipo que trabaje para lograr algo importante. Luego, escribe acerca de ese equipo. ¿Qué logros ha alcanzado? ¿Cómo trabajaron juntos para alcanzar su meta?

Anota lo que aprendes

A medida que leas, anota lo que aprendas acerca de los equipos. Usa la Tabla en pliegos para organizar tu información. En la parte superior de la primera columna a la izquierda, escribe "Equipos". En cada pliegue escribe lo que aprendas cada semana sobre los equipos en la familia, en la comunidad y en el trabajo.

MODELOS DE PAPEL®
Ayudas de estudio

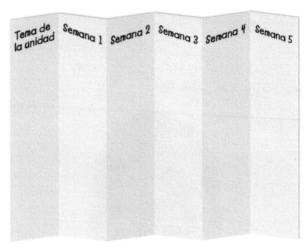

Taller de investigación

Haz la investigación de la Unidad 4 con:

Guía de investigación

Sigue esta guía paso a paso para completar tu proyecto de investigación.

Recursos en Internet

- Buscador por temas y otras herramientas de investigación
- Videos y excursiones virtuales
- Fotos y dibujos para presentaciones
- Artículos y recursos relacionados en Internet

Busca información en
www.macmillanmh.com.

TEXAS
Gente y lugares

Mildred Didrikson Zaharias Atleta

Mildred Didrikson Zaharias se crió en Texas y ganó medallas de oro para el equipo de atletismo de EE.UU. en los Juegos Olímpicos de 1932.

LLEVARSE BIEN

A platicar

Las personas tienen que llevarse bien para trabajar en equipo. ¿Qué haces para llevarte bien con la gente?

Conéctate

Busca información sobre llevarse bien en **www.macmillanmh.com**

Vocabulario

iluminar	telar
discutir	madeja
posesión	pleito

Diccionario

Las **palabras con várîos significados** son palabras que tienen más de un significado.

Usa un diccionario para hallar dos significados de la palabra *iluminar*.

Trabajos comunitarios

Jenna Rabin

Era un día soleado. La luz del sol **iluminaba** el salón y la clase del señor Turner planificaba el proyecto de servicio comunitario de tercer grado.

—Bueno —dijo el señor Turner—. Compartamos algunas ideas y escuchémonos unos a otros.

Algunos niños levantaron la mano. El señor Turner señaló a Marco.

—Podríamos limpiar el parque pequeño, recoger la basura y pintar los bancos —dijo Marco.

Raquel se mostró molesta y **discutió** con Marco.

—Tú sólo quieres limpiar ese parque para ti. La mayoría de la gente usa el parque grande al otro lado de la ciudad. Yo creo que deberíamos servir comidas en el refugio para las personas sin hogar.

—Raquel, todos deberían tener la oportunidad de dar ideas. Aun sin estar de acuerdo, tenemos que tratarnos bien.

—Disculpe, señor Turner —dijo Raquel.

—Hay gente que no tiene muchas **posesiones**, ni siquiera ropa de abrigo —interrumpió Juliana—. ¡Podríamos conseguir un **telar** y **madejas** para hacerles mantas!

—Leí sobre una clase que juntaba dinero y compraba cuadernos y lápices para niños, en un negocio que vende con descuento —agregó Cara.

—Podríamos hacer artesanías con la gente de los hogares para ancianos —dijo María.

—¿Artesanías? —se quejó Sergio—. Soy muy malo para las artesanías. ¿Por qué no organizamos una caminata para juntar fondos? Yo camino rápido, y haríamos ejercicio.

Esto hizo reír a todos y detuvo el **pleito** sobre quién tenía la mejor idea.

—Todas las ideas son buenas. Las escribiré en el pizarrón y votaremos. Así elegiremos el proyecto para la comunidad que le guste a la mayoría —dijo el señor Turner.

A los estudiantes les pareció un buen plan.

Volver a leer para **comprender**

 ### Hacer inferencias y analizarlas

Sacar conclusiones

Los autores a veces dan **pistas** sobre los personajes, el ambiente y el argumento de la historia. Los lectores tienen que analizar estas pistas para **sacar conclusiones**. Puedes sacar conclusiones usando las pistas del cuento y lo que ya sabes.

Vuelve a leer el cuento. Usa tu diagrama de conclusión para sacar conclusiones sobre Raquel. Usa las acciones y reacciones de Raquel como tus pistas.

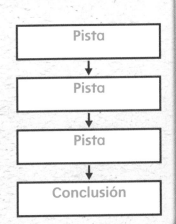

Pista
↓
Pista
↓
Pista
↓
Conclusión

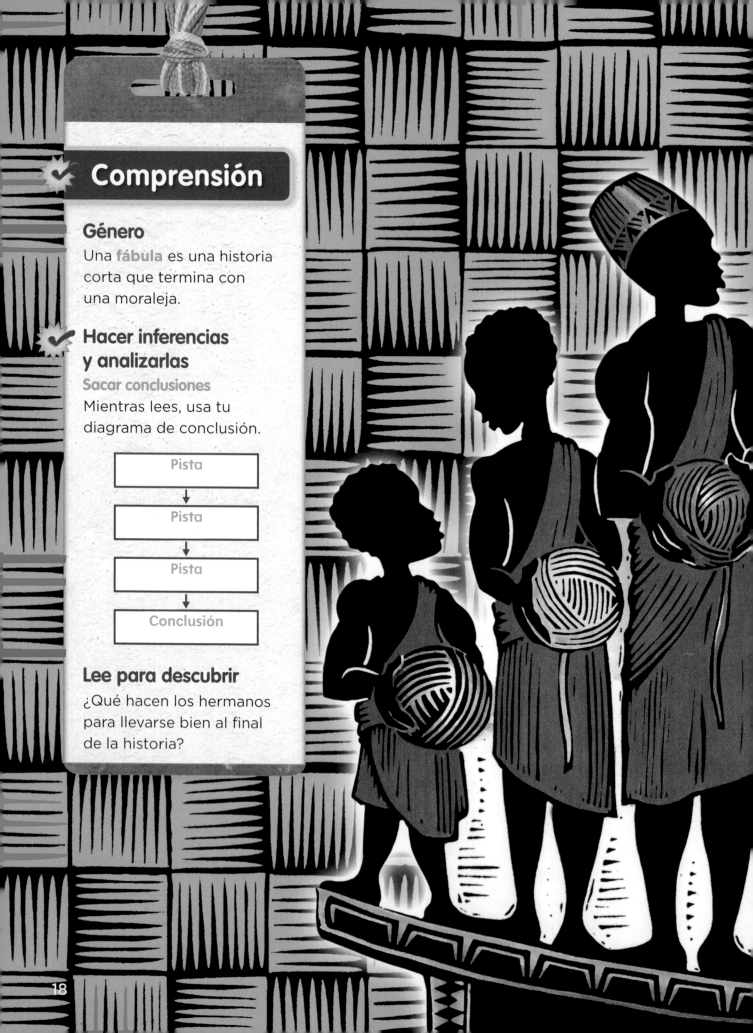

Comprensión

Género

Una **fábula** es una historia corta que termina con una moraleja.

Hacer inferencias y analizarlas

Sacar conclusiones

Mientras lees, usa tu diagrama de conclusión.

Pista

↓

Pista

↓

Pista

↓

Conclusión

Lee para descubrir

¿Qué hacen los hermanos para llevarse bien al final de la historia?

Siete madejas de hilo

UNA HISTORIA KWANZAA

ANGELA SHELF MEDEARIS
ILUSTRACIONES DE DANIEL MINTER

Selección premiada

En un pequeño pueblo africano, en el país de Ghana, vivía un viejito con sus siete hijos. Después de la muerte de su esposa, el viejito fue el padre y la madre de sus hijos. Los siete hermanos eran jóvenes y bien parecidos. Tenían la piel suave y oscura como la caoba más fina. Sus brazos y piernas eran tan largos y fuertes como la lanza de un guerrero.

Pero su padre estaba desilusionado de ellos. Desde la mañana hasta la noche, en la pequeña casa de esta familia sólo se oía los **pleitos** entre los hermanos.

En cuanto el sol anunciaba el nuevo día, los hermanos comenzaban a **discutir**. Discutían toda la mañana sobre cómo cuidar de los cultivos. Discutían toda la tarde sobre el clima.

—Hace calor —decía el hijo del medio.

—No, sopla una brisa fresca —decía el segundo hijo.

Discutían todo el atardecer sobre la hora de volver al hogar.

—Pronto va a oscurecer —decía el más joven—. Terminemos esta hilera y seguimos mañana más frescos.

—No. Es demasiado temprano para parar —comentaba el tercer hijo.

—¿No ves que se está poniendo el sol? —gritaba el sexto hijo.

Y así seguían hasta que la luna **iluminaba** la tierra y las estrellas titilaban en el cielo.

A la hora de la comida, los jóvenes discutían hasta que el guisado se enfriaba y el *fu fu* se endurecía.

—Le diste más a él que a mí —lloriqueaba el tercer hijo.

—Dividí la comida en partes iguales —decía el padre.

—Con esta porción tan pequeña voy a morirme de hambre —se quejaba el más pequeño.

—¡Si no la quieres, yo me la como! —decía el mayor, tomando un puñado de carne del plato de su hermano.

—¡Deja de ser tan egoísta! —decía el más pequeño.

Y así pasaba todas las noches. A menudo se hacía de día antes de que los hermanos terminaran su cena.

Un triste día, el viejito murió y lo enterraron. Al día siguiente, al salir el sol, el jefe del pueblo llamó a los hermanos ante su presencia.

—Su padre ha dejado una herencia —dijo el jefe.

Los hermanos murmuraban entre sí, entusiasmados.

—Sé que mi padre me dejó todo porque soy el mayor —dijo el mayor.

—Sé que mi padre me dejó todo porque soy el menor —dijo el más joven.

—Me dejó todo a mí —dijo el hijo del medio—. Sé que yo era su favorito.

—¡Eh! —dijo el segundo—. ¡Todo es mío!

Los hermanos comenzaron a gritarse y a empujarse. Pronto los siete estaban rodando por el suelo, golpeándose.

—¡Deténganse ahora mismo! —gritó el jefe.

Los hermanos dejaron el pleito. Se sacudieron el polvo de la ropa y se sentaron delante del jefe, mirándose con recelo.

—Su padre decidió que todas sus propiedades y **posesiones** se dividieran entre ustedes en partes iguales —dijo el jefe—. Pero primero, esta noche, para cuando salga la luna, deben haber aprendido a transformar estas **madejas** de hilo de seda en oro. Si no lo logran, se les quitará su hogar y serán mendigos.

El hermano mayor recibió la madeja azul. El hermano siguiente, la roja. El siguiente, la amarilla. El hermano del medio recibió la madeja naranja; el siguiente, la verde; el siguiente, la negra; y el más joven recibió la madeja blanca. Por primera vez, los hermanos se quedaron callados.

—A partir de este momento —volvió a hablar el jefe—, no deben discutir, ni levantar la mano con ira en contra del otro. Si lo hacen, la propiedad de su padre y todas sus posesiones se dividirán en partes iguales entre los más pobres del pueblo. Dense prisa porque tienen poco tiempo.

Los hermanos se inclinaron ante el jefe y se fueron rápidamente.

> **Sacar conclusiones**
> ¿Por qué se quedaron callados los hermanos después de escuchar al jefe?

Cuando los siete hermanos Ashanti llegaron a la granja, sucedió algo inusual. Se sentaron uno al lado del otro, desde el mayor hasta el menor, sin decirse nada desagradable.

—Hermanos —dijo el mayor luego de un rato—, démonos las manos y hagamos las paces.

—No volvamos a discutir ni a pelear —dijo el hermano menor.

Los hermanos unieron sus manos con fuerza.

Por primera vez en años, hubo paz entre las paredes de este hogar.

—Hermanos —dijo el tercer hijo con calma—, nuestro padre no nos trajo al mundo para convertirnos en mendigos.

—Estoy de acuerdo —dijo el hijo del medio—. No creo que nuestro padre nos haya dado la tarea de transformar el hilo en oro si fuera imposible.

—¿Será que hay pequeños trozos de oro en el hilo? —dijo el hijo mayor.

Afuera el sol brillaba con fuerza. Los rayos amarillos iluminaban el interior de la cabaña. Cada uno de los hermanos levantó su madeja. Los hermosos colores brillaron con el sol, pero no había pepitas de oro en las madejas.

—Me temo que no, hermano —dijo el sexto hijo—, pero ésa era una buena idea.

—Gracias, hermano —dijo el mayor.

—¿Será que haciendo algo con estos hilos —dijo el menor—, ganaremos una fortuna en oro?

—Quizás —dijo el mayor—, podríamos hacer tela con este hilo y venderla. Creo que podemos hacerlo.

—Es un buen plan —dijo el hijo del medio—. Pero no tenemos cantidad suficiente de ningún color para hacer un rollo de tela completo.

—¿Y si tejemos los hilos juntos para fabricar una tela de muchos colores? —dijo el tercer hijo.

—Pero nuestro pueblo no usa telas de ese tipo —dijo el quinto hijo—. Solamente usamos telas de un solo color.

—A lo mejor podemos hacer una tela que sea tan especial que todos quieran usarla —dijo el segundo.

—Hermanos —dijo el sexto hijo—, terminaríamos más rápido si trabajáramos todos juntos.

—Sé que podemos tener éxito —dijo el hijo del medio.

Los siete hermanos Ashanti se pusieron a trabajar. Juntos cortaron la madera para fabricar el **telar**. Los hermanos más jóvenes sostenían las piezas mientras los mayores armaban el telar.

Por turno tejían la tela de sus madejas de hilo. Crearon un diseño de rayas y formas que se parecía a las alas de los pájaros. Utilizaron todos los colores: azul, rojo, amarillo, naranja, verde, negro y blanco. Pronto los hermanos tenían varias piezas de una hermosa tela multicolor.

Cuando terminaron la tela de brillantes colores, los siete hermanos se turnaron para doblarla. Luego la colocaron en siete canastos que pusieron sobre sus cabezas.

Los hermanos formaron una fila desde el mayor hasta el menor y se dirigieron al pueblo. El sol lentamente hacía su ruta dorada por el cielo. Los hermanos caminaban por el largo camino polvoriento lo más rápido que podían.

Apenas entraron al mercado, los siete hermanos Ashanti comenzaron a decir: "¡Vengan y compren la tela más hermosa del mundo! ¡Vengan y compren la tela más hermosa del mundo!"

Abrieron la tela y la sostuvieron en alto para que todos la vieran. La tela multicolor brillaba como un arco iris. Mucha gente se juntó alrededor de los siete hermanos Ashanti.

—Ah —dijo alguien del pueblo—. ¡Nunca he visto una tela tan hermosa! ¡Miren qué diseño tan inusual!

—Ah —dijo otro—. ¡Es la tela más fina de la región! ¡Sientan la textura!

> **Sacar conclusiones**
> ¿Qué aprendieron los hermanos?

Los hermanos sonreían con orgullo. De pronto, un hombre vestido con un ropaje majestuoso se abrió camino a través del gentío. Todos retrocedieron con respeto. Era el tesorero del Rey. Frotó la tela con las palmas de sus manos y luego la miró contra la luz del sol.

—Qué belleza —dijo tocando la tela—. ¡Esta tela será un maravilloso regalo para el Rey! Debo llevármela toda.

Los siete hermanos murmuraban a la vez.

—La tela para un rey —dijo el hermano mayor—, debería comprarse a un precio que sólo un rey pueda pagar. Es suya por una bolsa de oro.

—Vendida —dijo el tesorero del Rey. Desató su bolsa de oro y sacó muchas piezas para los hermanos.

Los siete hermanos Ashanti salieron corriendo del mercado y volvieron a su aldea por el camino.

Una luna brillante como la plata comenzó a elevarse por el cielo. Jadeantes y empapados de sudor, los hermanos se tiraron al suelo frente a la cabaña del jefe.

—Jefe —dijo el mayor—, ¡hemos transformado el hilo en oro!

El jefe salió de su cabaña y se sentó en un banco.

El hermano mayor dispersó el oro en el piso.

—¿Discutieron o pelearon hoy? —preguntó el jefe.

—No, jefe —dijo el menor—. Estuvimos demasiado ocupados trabajando juntos como para discutir o pelear.

—Entonces han aprendido la lección que su padre quería enseñarles —dijo el jefe—. Todo lo que él tuvo es ahora de ustedes.

Los hermanos mayores sonrieron con alegría, pero el menor estaba triste.

—¿Y los pobres del pueblo? —preguntó—. Nosotros recibimos una herencia, ¿y ellos qué harán?

—Quizás —dijo el mayor—, podamos enseñarles a transformar hilo en oro.

—Aprendieron muy bien su lección —dijo el jefe sonriendo.

Los siete hermanos Ashanti le enseñaron a su gente. El pueblo se hizo famoso por su hermosa tela multicolor y la gente del pueblo prosperó.

A partir de ese día y hasta ahora, los siete hermanos
Ashanti trabajan juntos la tierra.
Y trabajan en paz, en honor a su padre.

Unas ramas atadas no pueden romperse.

—Proverbio africano

TEJAMOS UNA HISTORIA CON ANGELA Y DANIEL

La autora **Angela Shelf Medearis** escribió este cuento para celebrar la fiesta afroamericana de Kwanzaa. Cuando Angela era pequeña no había libros sobre los afroamericanos. Ahora ella escribe libros sobre afroamericanos para que esta comunidad pueda sentirse orgullosa.

El ilustrador **Daniel Minter** talla y pinta sobre madera, en un estilo parecido al que utilizó en este cuento. Tallar la madera es una parte importante del arte tradicional africano. Las obras de Daniel mantienen vivo este arte tradicional.

 Busca información sobre Angela Shelf Medearis y Daniel Minter en **www.macmillanmh.com**

✔ Propósito de la autora

¿Escribió la autora este cuento para persuadir, informar o entretener al lector? ¿Qué detalles muestran su propósito?

✔ Pensamiento crítico

Resumir

Resume el argumento de *Siete madejas de hilo*. Usa tu diagrama de conclusión como ayuda para anotar las pistas que dicen cómo se comportan los hermanos al final.

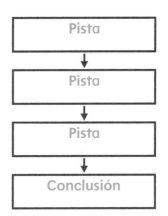

Pista
↓
Pista
↓
Pista
↓
Conclusión

Pensar y comparar

1. El jefe ordenó a los hermanos que transformaran las **madejas** de hilo en oro. ¿Por qué crees que hizo eso? Usa el **diagrama de conclusión** como ayuda para responder. **Hacer inferencias y analizarlas: Sacar conclusiones**

2. Vuelve a leer las páginas 29-31. ¿Qué lección sobre el trabajo en equipo aprenden los hermanos? Usa detalles del cuento en tu respuesta. **Analizar**

3. Piensa en una experiencia en la que hayas trabajado con un amigo o familiar. ¿Qué lección positiva aprendiste de esa experiencia? **Aplicar**

4. Los hermanos enseñaron a la gente del pueblo a tejer una tela especial. ¿Por qué eso es mejor que darle dinero a la gente del pueblo? Explica tu respuesta. **Evaluar**

5. Lee "Trabajos comunitarios" en las páginas 16 y 17. ¿En qué se parece el problema de ese cuento al de *Siete madejas de hilo*? ¿En qué se diferencian las soluciones de los problemas? Usa detalles de ambos cuentos en tu respuesta. **Leer/Escribir para comparar textos**

¿QUÉ CAUSA EL DÍA Y LA NOCHE?

Keisha Oliver

Ciencias

Género

Los artículos de **no ficción** dan información sobre cosas, lugares, gente o sucesos reales.

Elementos del texto

Las **reglas** son una lista de las maneras como te debes comportar.

Palabras clave

esfera

rotar

eje

Aunque no lo creas, la gente solía pensar que la Tierra estaba quieta mientras el Sol giraba cada día a su alrededor. Es fácil saber por qué pensaban esto. El Sol se eleva por la mañana, se mueve a través del cielo y desaparece por la noche. Hoy día, sabemos mucho más sobre el movimiento del Sol y de la Tierra.

El movimiento de la Tierra causa el día y la noche. La Tierra tiene forma de una pelota o **esfera**. Al **rotar**, o girar, se ilumina la cara de la Tierra que mira al Sol. En la cara opuesta hay oscuridad.

La Tierra rota todo el tiempo, pero nosotros no lo sentimos. Cada 24 horas la Tierra da una vuelta o rotación completa que equivale a un día.

REGLAS PARA EL DÍA Y LA NOCHE

Lee las reglas

Sigue estas reglas para mantenerte seguro o segura cuando estés afuera durante el día o la noche.

Reglas para el día

1. No mires directamente al Sol.
2. Usa lentes de Sol.
3. Usa protector solar.

Reglas para la noche

1. Usa ropa brillante así te pueden ver.
2. Asegúrate de decirle a un adulto responsable dónde estás.

MOVIMIENTOS DE LA TIERRA

La Tierra rota sobre una línea imaginaria llamada **eje**. El eje se traza a través del centro de la Tierra. El ecuador es el nombre del círculo imaginario que rodea la Tierra y la divide por la mitad.

Como la Tierra está inclinada en relación al Sol, la cantidad de calor y energía varía en diferentes lugares. La temperatura es más alta en el ecuador y más baja en los dos polos. La inclinación de la Tierra también influye en la cantidad de luz que tienen diferentes lugares en distintas épocas del año. Es por esto que en Alaska, la noche puede durar varios meses.

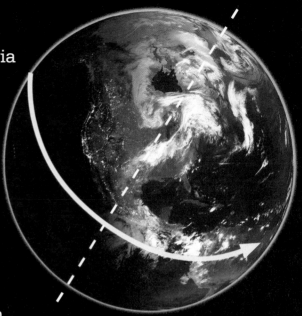

Mientras la Tierra se mueve alrededor del Sol, gira sobre su eje. Los lugares, cerca del ecuador, reciben casi la misma cantidad de luz durante todo el año.

Pensamiento crítico

1. Mira el diagrama de arriba. Describe el eje de la Tierra. **Leer un diagrama**

2. ¿Cuánto tarda la Tierra en realizar una rotación completa? Describe cómo esta rotación modifica la luz del día. **Recordar**

3. ¿Por qué es importante el Sol en *Siete madejas de hilo*? **Leer/ Escribir para comparar texto**

Ciencias

Investiga sobre dos lugares de la Tierra con diferentes temperaturas. Escribe un párrafo para resumir tu investigación. Dibuja un diagrama para explicar cómo la inclinación de la Tierra afecta las temperaturas de los lugares que investigaste.

Busca información sobre el día y la noche en **www.macmillanmh.com**

Escritura

Diálogo

El **diálogo** muestra lo que los personajes se dicen unos a otros y te ayuda a saber lo que está pasando en el cuento.

Conexión: Lectura y escritura

Lee el siguiente pasaje. Observa cómo la autora Angela Shelf Medearis integra el diálogo para mostrar lo que ocurre en el cuento.

Pasaje de
Siete madejas de hilo

La autora usa el diálogo para mostrar que los personajes están discutiendo, así el lector puede saber lo que está ocurriendo.

Discutían toda la mañana sobre cómo cuidar de los cultivos. Discutían toda la tarde sobre el clima.

—Hace calor —decía el hijo del medio.

—No, sopla una brisa fresca —decía el segundo hijo.

Discutían todo el atardecer sobre la hora de volver al hogar.

—Pronto va a oscurecer —decía el más joven—. Terminemos esta hilera y seguimos mañana más frescos.

—No. Es demasiado temprano para parar —comentaba el tercer hijo.

—¿No ves que se está poniendo el sol? —gritaba el sexto hijo.

Lee y descubre

Lee lo que escribió Will. ¿Cómo usó Will el diálogo para mostrar lo que estaba ocurriendo? Usa el control de escritura como ayuda.

Estampado de cebra

Will S.

–¡No te irás a poner eso! –se quejó mamá.

–¡Yo estoy muy cómodo! –dijo papá.

–¡No saldré contigo vestido con esos pantalones de estampado de cebra!

Papá tenía un aspecto raro.

–Tendrás que ir con otra persona a la fiesta de Bob –contestó papá.

–Muy bien. Will, vámonos –dijo mamá.

Yo la miré con asombro.

Lee sobre la ropa de mi papá.

Control de escritura

 ¿Mostró el autor exactamente quién hablaba?

 ¿Mostró el autor lo que está ocurriendo por medio de las palabras de los personajes?

 ¿Al leer te parece que estuvieras oyendo un **diálogo**?

Colaborar

¿Qué beneficios obtenemos si todos colaboramos? ¿Cómo colaboras en tu escuela o en tu comunidad?

Busca información sobre colaborar en **www.macmillanmh.com**

Conéctate

La espantapajarería

Iñigo Javaloyes

Vocabulario

estrechez   acotar

majadería   espantapájaros

ambicioso   confeccionar

Partes de las palabras

Las **palabras compuestas** son palabras que se forman a partir de dos palabras más cortas.

espanta + pájaros = *espantapájaros*

Ese telescopio tenía que ser mío. Lo vi en el escaparate de una tienda y cuando pregunté el precio se me cayó el alma al suelo: ¡seiscientos cincuenta dólares!

Me di cuenta de que por muchas **estrecheces** que estuviera dispuesto a pasar, tardaría media vida en ahorrar esa cantidad. Así que decidí montar mi propio negocio. Pensé que para hacerlo, el primer paso sería convertirme en un hombre de negocios. Me puse un traje y una corbata de mi hermano mayor y me engominé el pelo.

—Tienes que **acotar** tu proyecto —me dijo mi abuelo.

—¿Qué es eso de acotar? —le contesté.

—Elegir lo que puedas hacer y descartar todo lo demás. Por lo pronto, yo me quitaría ese traje. Ir vestido así es una **majadería**.

Y entonces me di cuenta de que estaba disfrazado de hombre de negocios, pero no lo era. ¡Parecía un **espantapájaros**! Eso me dio una idea muy **ambiciosa**: montar la primera *espantapajarería* del mundo.

Encontré un traje viejo de mi padre. Até dos palos de escoba en forma de cruz y los "vestí" con los pantalones y la chaqueta. Le puse un balde a modo de cabeza y un sombrero viejo de mi papá. Me quedé mirándolo.

—¡Mamá! —grité desde la puerta—, ¿no tendrás por ahí ropa vieja de papá?

Vaya que si tenía. ¡Un baúl lleno!

Estuve trabajando toda la tarde para **confeccionar** media docena de espantapájaros, espantapájaras y espantapajaritos. Al terminar de hacerlos llamé a mi abuelo.

—Mira —le dije—. Los llevaré a la feria del condado.

—¿Y por cuánto piensas venderlos? —me preguntó.

—Pues no lo sé aún… ¿veinte dólares cada uno?

El sábado siguiente llevé a la familia Espantapájarez a la feria. No vendí ninguno. Sólo se acercó una periodista muy simpática que me entrevistó y me tomó una foto. Una semana después vino un señor a hablar con mi papá. ¡Quería exponer mi colección de espantapájaros en un museo de Chicago!

—Si me compra un telescopio, se los regalo todos —le dije.

—Trato hecho, joven artista, trato hecho.

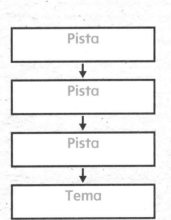

Volver a leer para **comprender**

✔ **Evaluar**

Tema

El **tema** es el mensaje que el autor quiere hacer llegar al lector. Si sabes el tema puede ayudarte a evaluar qué es importante en el cuento.

Vuelve a leer el cuento para hallar el tema. Usa tu diagrama para identificar las **pistas** que te indican el tema, usando los personajes, el ambiente y el argumento.

Pista
↓
Pista
↓
Pista
↓
Tema

Comprensión

Género
Un cuento de **ficción realista** es una historia que puede suceder en la vida real.

✔ Evaluar
Tema
Al leer, usa tu diagrama.

Pista
↓
| Pista |
↓
| Pista |
↓
| Tema |

Lee para descubrir
¿Qué hacen los hermanos para resolver el problema?

El prado del tío Pedro

Autora e ilustrador premiados

María Puncel

ilustraciones de Teo Puebla

51

Se murió el tío Pedro y dejó a sus hijos, en herencia, el prado y las ovejas.

El prado era muy grande y tenía una hierba alta y jugosa. Las ovejas eran nueve y se criaban sanas, gordas y hermosas.

Los tres hermanos se pusieron en seguida de acuerdo. Cada uno de ellos se quedaría con tres ovejas. El prado lo utilizarían entre todos porque, en verdad, hubiera sido un dolor partirlo en tres.

Antonio marcó sus tres ovejas con un collar azul. Felipe marcó sus tres ovejas con un collar verde. Joaquín marcó sus tres ovejas con un collar rojo. Las ovejas vivían en el prado, comían en el prado y abonaban el prado.

La lluvia caía sobre el prado, deshacía el abono y lo incorporaba a la tierra. La tierra, bien alimentada con el abono y el agua, producía más hierba para reponer la que se comían las ovejas. El prado y las ovejas habían llegado a un equilibrio perfecto.

Por las tardes, cada hermano, ayudado por su mujer, ordeñaba sus ovejas y llevaba la leche a casa en un cántaro. Esta leche la hervían, le añadían los fermentos necesarios, la cuajaban, la batían, la salaban, le daban forma y ponían los quesos a orear en el sobrado. El aire de la montaña curaba estos quesos, que resultaban riquísimos. Se vendían muy bien en el mercado.

Cada pareja ganaba muy buen dinero con los quesos. En primavera, cada oveja paría un corderito. Tan pronto como los recentales dejaban de mamar, Antonio y su mujer recogían sus tres corderitos y los llevaban al mercado. Y lo mismo hacían Felipe y Joaquín. Y cada pareja conseguía muy buen dinero a cambio de los corderillos.

Al llegar el verano, cada hermano, ayudado por su mujer, esquilaba sus ovejas. Luego, la lana se cargaba en un canasto y se llevaba al lavadero. Cuando estaba seca, se cardaba, se hilaba, se teñía y se tejía. Con las telas, que resultaban ser suaves, cálidas y de alegres colores, se hacían dos lotes. Uno se guardaba para **confeccionar** los propios vestidos. El otro lote se llevaba al mercado.

Cada pareja ganaba muy buen dinero con las telas de lana.

Antonio y su mujer estaban encantados con el negocio.

Felipe y su mujer estaban encantados con el negocio.

Joaquín y su mujer estaban encantados con el negocio.

Tema

¿Por qué cada pareja estaba encantada con el negocio?

Una noche, mientras estaban cenando, Antonio y su mujer hablaron. La mujer, que se tenía por muy lista, dijo: —Marido, creo que deberíamos llevar otra oveja al prado. Tendríamos más quesos, más lana y más corderos. Total, una oveja más en el prado ni se notará… Y nosotros ganaremos más.

Antonio pensó que realmente su mujer era muy lista.

Así que, al día siguiente, en el prado aparecieron diez ovejas.

La mujer de Felipe y la mujer de Joaquín se fijaron muy bien en que había cuatro ovejas que llevaban collar azul; y, a la noche, hablaron con sus maridos.

Al otro día aparecieron en el prado doce ovejas en lugar de diez.

Antonio comprendió que sus hermanos habían seguido su ejemplo. A los otros también les había parecido una excelente idea poseer una oveja más y hacerla pastar en el prado.

Cada oveja comía un poco menos y, claro, daba menos leche, producía lana de menor calidad y paría corderitos más pequeños…

De todas formas, los tres hermanos ganaron más dinero que el año anterior: cuatro ovejas dan más leche, más lana y más corderos que tres ovejas.

A la vuelta del mercado, cada pareja contó su dinero. Marido y mujer estaban tan contentos de lo bien que marchaba el negocio que… un buen día aparecieron en el prado quince ovejas en lugar de doce. Y, como la vez anterior, nadie se atrevió a decir nada. Todos habían cometido el mismo abuso.

Y empezó a ocurrir algo muy triste.

Las quince ovejas tenían poca hierba para comer, y sentían tanta hambre, constantemente, que arrancaban las raíces para alimentarse con ellas. Y ni siquiera así se saciaban. Al principio, el hambre las puso de mal humor y se peleaban entre ellas continuamente. Luego, el hambre las puso tristes y, más tarde, empezaron a sentirse débiles. Se fueron quedando flacas, flacas y más flacas…

Apenas daban leche, y la poca que daban era malísima.

Apenas daban lana, y la poca que daban era de fibra corta y muy quebradiza.

Y cuando llegó la época en que debían nacer los corderos, muchas ovejas no los tuvieron. Y los pocos que nacieron eran tan canijos y enfermizos que no llegaron a criarse.

Al cabo de algunas semanas, también las ovejas se fueron muriendo. Los tres hermanos se reunieron para enterrar las ovejas muertas. El prado era un desierto. Ni una brizna de hierba brotaba de la tierra.

—¿Qué podemos hacer? —se preguntaron.

> **Tema**
> ¿Por qué el prado se convierte en un desierto?

Primer final

Los tres hermanos se pusieron de acuerdo y vendieron el prado. Como era una tierra completamente arruinada, les dieron por ella una cantidad miserable. Al ser dividida en tres partes, resultó tan ridículamente pequeña que apenas fue nada.

Los tres hermanos se pelearon:

—¡La culpa fue tuya! —acusaron los dos pequeños.

—¡Yo tenía derecho a una oveja más porque soy el mayor! —replicó Antonio.

—¡Nuestro padre nos dejó el prado a los tres a partes iguales, y tú, que eres el mayor, deberías habernos dado mejor ejemplo! —le gritaron Felipe y Joaquín.

Y cada hermano se fue furioso a su casa y se peleó con su mujer:

—¡Yo no hubiera hecho una **majadería** tan grande si tú no me lo hubieras aconsejado!

Este final resulta muy triste; así que busquemos otro.

Segundo final

Los tres hermanos se pusieron de acuerdo:

—Labraremos el prado y sembraremos buena semilla de hierba. Nuestras mujeres colocarán un **espantapájaros** para que las aves no se coman las semillas ni los brotes tiernos; y aguardaremos. Las lluvias y el sol harán germinar las semillas. La hierba volverá a brotar fuerte y jugosa.

Con el dinero que tenemos ahorrado compraremos tres ovejas…

—Y mientras tanto, ¿de qué comeremos? —preguntaron las mujeres.

—Trabajaremos de jornaleros. Ahorraremos hasta el último céntimo.

Cada hermano se contrató con un amo distinto. Y trabajaron, trabajaron, trabajaron… Y durante un largísimo invierno no pudieron visitar a sus mujeres.

También este final resulta triste… ¡Busquemos otro!

Tercer final

Los tres hermanos y sus mujeres se pusieron de acuerdo:

—Entre todos hemos arruinado el prado. Trabajemos juntos para que vuelva a ser lo que era cuando nuestro padre nos lo legó.

Y con el dinero de todos compraron buena semilla y tres hermosas ovejas. Trabajaron los seis juntos, sin parar, durante muchas semanas.

Acotaron una pequeña parcela del prado y dentro instalaron a las tres ovejas. Cada día, dos de los hermanos subían a los más difíciles lugares de la alta montaña, allí donde ningún pastor se atrevía a llevar su ganado por miedo a los precipicios y a los lobos. Y cortaban buenos haces de hierba jugosa y alimenticia que bajaban a hombros hasta el redil. Era un trabajo duro y arriesgado, pero merecía la pena.

Las tres ovejas daban buena leche, buena lana y, a su tiempo, parieron hermosos corderillos.

Mientras dos hermanos se ocupaban de alimentar a las ovejas, el otro hermano y las tres mujeres labraron el resto del prado. Lo sembraron, y protegieron los brotes tiernos de los pájaros y de los insectos. Y mientras no llovió, acarrearon agua para regarlo y la hierba brotó muy rápidamente.

Cuando la parte más grande del prado tuvo ya bastante hierba, trasladaron allí las tres ovejas y trabajaron luego para sanear, labrar, sembrar y cuidar el trozo en que habían estado viviendo los animales.

El segundo año ya había seis ovejas en el prado.

Y durante todo este tiempo, los tres hermanos y sus tres mujeres apenas pudieron comer lo suficiente para poder continuar trabajando. Y, desde luego, no pudieron comprarse trajes ni zapatos.

Al cabo de los tres años, el prado criaba una hierba tierna, nutritiva y jugosa. Y cada hermano poseía tres ovejas sanas, gordas y hermosas.

—¡Otra vez tenemos nuestro prado y nuestras ovejas, como antes! —se alegró la mujer de Joaquín.

—Buen sudor nos ha costado. Si no hubiéramos sido tan tontos, nos hubiéramos ahorrado tres años de duro trabajo y de **estrecheces** —opinó la mujer de Felipe.

—Pues yo casi me alegro de lo que ha ocurrido —dijo la mujer de Antonio, que se tenía por muy lista—. Hemos trabajado mucho, pero también hemos aprendido mucho. ¿Qué les parecería si ahora ahorrásemos para comprar el prado de Juan Pablo, que está tan estropeado como estaba el nuestro? Podríamos trabajar para recuperarlo y… más ovejas… ¡Ganaríamos más dinero!

—¡Nooo! —gritaron todos a la vez—. ¡No, gracias!

Pero no estaban enfadados, se reían.

¡Tú y tus **ambiciosas** ideas, mujer! —dijo Antonio—. No, no compraremos más prados. Tenemos suficiente con el nuestro. Si Juan Pablo quiere que el suyo vuelva a dar buena hierba, podemos decirle cómo ha de trabajar para conseguirlo.

Y todos estuvieron de acuerdo con él.

Este parece un buen final…
¿Podrías encontrar otro mejor? A mí
me gustaría conocerlo.

Al prado
con María y Teo

Autora

María Puncel es una escritora española que se ha dedicado a la literatura infantil. En sus cuentos se refleja su pasión por la historia y por los niños. Ha ganado muchos premios importantes de literatura. Además de escribir, María ha hecho programas infantiles para la televisión.

Ilustrador

Teo Puebla nació en España. Desde pequeño mostró gran interés en las artes en general. Más tarde se dedicó a ilustrar libros para niños y jóvenes. Su labor ha sido reconocida con numerosos premios, como el Premio Nacional de Literatura Infantil de España, al mejor trabajo de ilustración.

Otro libro de María Puncel

 Conéctate Busca información sobre María Puncel y Teo Puebla en **www.macmillanmh.com**

Propósito de la autora

En este cuento *El prado del tío Pedro*, ¿escribió María Puncel para informar o entretener? ¿Qué detalles te ayudan a determinar el propósito de la autora?

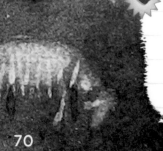

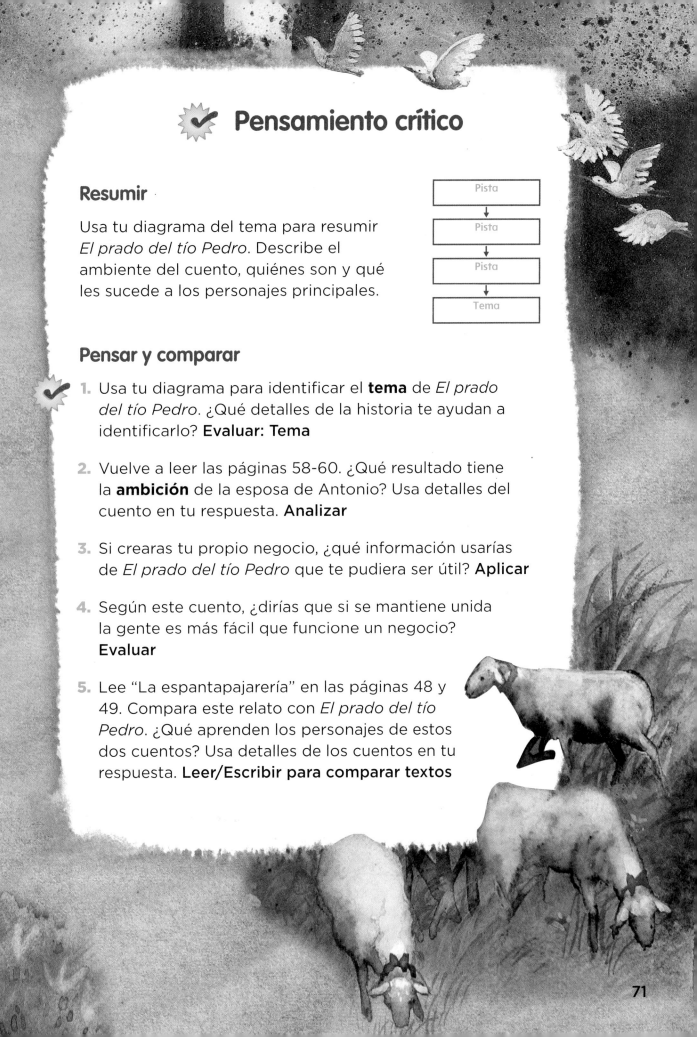

✔ Pensamiento crítico

Resumir

Usa tu diagrama del tema para resumir *El prado del tío Pedro*. Describe el ambiente del cuento, quiénes son y qué les sucede a los personajes principales.

Pista
↓
Pista
↓
Pista
↓
Tema

Pensar y comparar

1. Usa tu diagrama para identificar el **tema** de *El prado del tío Pedro*. ¿Qué detalles de la historia te ayudan a identificarlo? **Evaluar: Tema**

2. Vuelve a leer las páginas 58-60. ¿Qué resultado tiene la **ambición** de la esposa de Antonio? Usa detalles del cuento en tu respuesta. **Analizar**

3. Si crearas tu propio negocio, ¿qué información usarías de *El prado del tío Pedro* que te pudiera ser útil? **Aplicar**

4. Según este cuento, ¿dirías que si se mantiene unida la gente es más fácil que funcione un negocio? **Evaluar**

5. Lee "La espantapajarería" en las páginas 48 y 49. Compara este relato con *El prado del tío Pedro*. ¿Qué aprenden los personajes de estos dos cuentos? Usa detalles de los cuentos en tu respuesta. **Leer/Escribir para comparar textos**

Bomberos paracaidistas

Roland Hosein

Algunos incendios forestales comienzan en lugares tan **remotos** que no hay caminos ni espacios abiertos para que aterrice un helicóptero. Cuando sucede esto, es hora de llamar a los bomberos **paracaidistas**. Son bomberos entrenados en tirarse en paracaídas cerca de estos remotos incendios y apagarlos.

Estos bomberos deben trabajar en grupo y rápidamente. Tienen que llegar al incendio cuando aún es pequeño.

Hay nueve bases de bomberos paracaidistas en Estados Unidos. Una de ellas está en California. En verano, el riesgo de incendio es muy alto en esta parte del país. El mapa que está abajo muestra el riesgo de incendio en las distintas partes del estado. Veamos cómo es ser un bombero paracaidista en California.

Entrenamiento del bombero paracaidista

Para ser bombero paracaidista en California hay que realizar un entrenamiento de seis semanas y media. Sólo aquellos con experiencia en la lucha contra incendios en zonas selváticas son elegidos para este entrenamiento.

Riesgo de incendio en California

Leer un mapa

Este mapa usa diferentes colores para mostrar los niveles de riesgo en diferentes partes del estado.

CLAVE DEL MAPA	
	Bajo
	Alto
	Muy alto
	Agua

La clave del mapa muestra qué representan los colores.

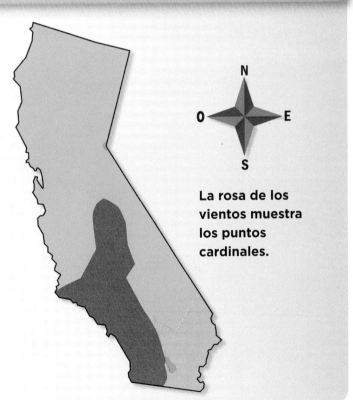

La rosa de los vientos muestra los puntos cardinales.

Para ser bombero paracaidista hace falta mucha fuerza **física** o corporal. Se tiene que llevar un equipo muy pesado. Todos los que hacen este trabajo deben estar capacitados para saltar en paracaídas desde un avión, esquivar los árboles y trepar a un árbol, de al menos 150 pies de altura, con todo el equipo.

La sirena de incendio

Tan pronto como llega un llamado de ayuda, los bomberos paracaidistas actúan con rapidez. Se colocan las chaquetas y los pantalones acolchados especiales para saltar. También usan un casco con una máscara de malla de alambre. Cada paracaidista lleva una bolsa pequeña donde tiene agua, una cobija de emergencia contra incendio, un casco y guantes. Todos tienen que estar en el avión en 10 minutos.

Una vez que los paracaidistas llegan a tierra, el equipo de lucha contra incendios se arroja desde el avión. El jefe del equipo elige un lugar seguro donde los bomberos paracaidistas se pueden **retirar**, o retroceder, si el fuego se acerca demasiado. Una vez elegido este lugar, ¡es hora de luchar juntos contra el incendio!

Primero, los bomberos paracaidistas limpian los alrededores del incendio para evitar que se propague. Luego pueden pedir por radio que lancen agua o productos químicos sobre el fuego. Cuando el fuego está bajo control, los bomberos paracaidistas lo apagan con agua. Antes de irse, se aseguran de que toda el área esté completamente enfriada.

Después del trabajo en grupo de apagar el fuego, a menudo un helicóptero recoge a los bomberos paracaidistas, ¡pero a veces tienen que caminar hasta el camino más cercano llevando todas sus herramientas y equipo!

De vuelta en la base, descansan... hasta que los llamen para el siguiente incendio.

 ## Pensamiento crítico

1. Mira el mapa de la página 73. ¿Cuál es el nivel de peligro de incendio para la mayor parte de California? ¿Cómo lo sabes? **Leer un mapa**

2. ¿Cómo crees que será la personalidad de los bomberos paracaidistas? **Analizar**

3. ¿Qué tiene en común la manera de trabajar de los bomberos paracaidistas con la de los hermanos de *El prado del tío Pedro*? **Leer/Escribir para comparar textos**

 ### Estudios Sociales

Investiga sobre los bomberos. Averigua qué tipo de ropa y equipos especiales usan. Dibuja un bombero con el equipo. Indica los nombres de las piezas y explica para qué sirve cada una.

Busca información sobre los bomberos en **www.macmillanmh.com**

Diálogo

En lugar de usar oraciones que expliquen lo que ocurre puedes usar el **diálogo** para que los lectores sepan lo que sucede en un cuento.

Conexión: Lectura y escritura

Lee el siguiente pasaje. Observa cómo la autora María Puncel integra el diálogo para mostrar lo que ocurre en el cuento.

Pasaje de *El prado del tío Pedro*

La autora usa el diálogo para mostrar el enfado de los tres hermanos. Al leer lo que dicen los personajes es más fácil imaginar la escena.

Los tres hermanos se pelearon:

—¡La culpa fue tuya! —acusaron los dos pequeños.

—¡Yo tenía derecho a una oveja más porque soy el mayor! —replicó Antonio.

—¡Nuestro padre nos dejó el prado a los tres a partes iguales, y tú, que eres el mayor, deberías habernos dado mejor ejemplo —le gritaron Felipe y Joaquín.

El prado del tío Pedro

María Puncel
Ilustraciones de Teo Puebla

Lee y descubre

Lee lo que escribió Teresa. ¿Cómo usó ella el diálogo para mostrar lo que estaba ocurriendo? Usa el control de escritura como ayuda.

El almuerzo
Teresa M.

–¿Qué es eso? –le pregunté a Julio.

–¡Es mi almuerzo! –respondió él.

–¡No me digas que te vas a comer esa cosa pastosa y fea! –le dije riendo.

> Lee sobre lo que pasó en el almuerzo.

–¡Mi hermana se sentó sobre mi almuerzo en el autobús! –dijo Julio.

–Yo preferiría morirme de hambre –le dije. No sería amable con Julio después de lo que él había dicho en clase.

Control de escritura

 ¿Usó la autora el diálogo en lugar de usar oraciones explicativas?

 ¿Mostró la autora lo que está sucediendo por medio de las palabras de los personajes?

 ¿Te ayuda el **diálogo** a saber cuáles son los sentimientos de los personajes?

¿Por qué es una buena idea trabajar en equipo para resolver problemas?

Busca información sobre trabajar en equipo en comunidades en **www.macmillanmh.com**

TRABAJAR
en equipo

Goles contra la basura

Cientos de niños se reúnen en el campo de fútbol de una escuela en Kibera, en Nairobi, Kenia. Antes de jugar, los niños toman palas y rastrillos o empujan carretillas. Sin protestar, los niños dedican cinco horas a la limpieza y a separar los materiales reciclables.

Pensarás que ésta es una extraña manera de hacer calentamiento. Pero limpiar la basura de Kibera es la única manera de conseguir un puesto en uno de los equipos de fútbol.

Kibera es una ciudad con muchos habitantes pobres y con problemas de salud. En 2001, un estudiante llamado Rye Barcott creó Carolina por Kibera (CFK en inglés) para mejorar la vida de los niños de Kibera. A Rye se le ocurrió la idea de hacer trabajo de limpieza antes de los partidos. Los niños de Kibera saben que CFK no es solamente para organizar los juegos. Saben que su esfuerzo ayuda a la **concientización** sobre la **contaminación**. Los niños trabajan juntos para mantener sus vecindarios limpios y saludables. Rye dice: "Los niños aceptan la responsabilidad por el bienestar de su propia comunidad".

Esta niña juega al fútbol en Kibera, un barrio marginal de Nairobi.

Los niños de Kibera juegan con muchas ganas, incluso después de tantas horas de limpiar y reciclar. En un año, los niños limpian cerca de 250 toneladas de basura.

Palabras con mensaje

Estas palabras fueron escritas por dos personas famosas.
Su emotivo mensaje ha inspirado a muchas personas
a ayudar a los demás. Quizás también te inspiren a ti.

"No te preguntes lo que tu país puede hacer por
ti, pregúntate qué puedes hacer tú por tu país."
—*John F. Kennedy*

"Nos ganamos la vida con lo que hacemos, pero con
lo que damos hacemos una vida."
—*Winston Churchill*

Ayudar con una sonrisa

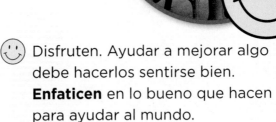

Tú y tus amigos pueden realizar un valioso servicio
comunitario siguiendo estas pistas:

- 😊 Identifiquen un problema en su comunidad.

- 😊 Infórmense sobre el problema. Sugieran maneras de solucionarlo.

- 😊 Fijen objetivos y decidan qué es lo que van a necesitar.

- 😊 Busquen la colaboración de su escuela, de otros estudiantes y de sus padres.

- 😊 Disfruten. Ayudar a mejorar algo debe hacerlos sentirse bien. **Enfaticen** en lo bueno que hacen para ayudar al mundo.

- 😊 Hagan público su proyecto. **Utilicen** el periódico local. Escriban sobre lo que están haciendo. Pronto otros lo sabrán y decidirán ayudarles.

Conéctate
Busca información sobre
proyectos comunitarios en
www.macmillanmh.com

Una **SOLUCIÓN** a la **contaminación**

En California hay muchas playas bonitas. Sin embargo, la basura que la gente deja en las playas las afea y hace que se contaminen. El estado no puede contratar personal que recoja la basura porque costaría demasiado. Afortunadamente, los californianos están ayudando. Cada año, 50,000 voluntarios, cargados con rastrillos y grandes bolsas para la basura, pasan en la playa un duro día de trabajo. En este día especial tiene lugar la mayor recolección de basura del mundo.

En California hay muchas playas bonitas a lo largo de sus 1100 millas de costa.

Limpieza costera

El Día de Limpieza Costera se celebra a mediados de septiembre, al final de la temporada de playa y antes del comienzo de la escuela. Hay más de 700 lugares de limpieza en California: en playas, vías fluviales y reservas naturales.

Este día es parte del programa Limpieza Costera Internacional. Los 50 estados de este país y más de 100 países participan en este programa global en que la gente se une para limpiar. El programa también mejora la **concientización** sobre la **contaminación** de las costas.

Familias, organizaciones, estudiantes y vecinos unen sus esfuerzos en el Día de Limpieza Costera de California.

Plantar para mejorar

La escuela secundaria Buena Park es una de las muchas escuelas que participan en este evento. En 2004, los estudiantes trabajaron en una reserva natural. La Reserva Natural Nacional Seal Beach, cerca de San Diego es un enorme terreno protegido. Muchas aves en peligro de extinción habitan ahí, entre ellas el pelícano pardo de California.

Los jóvenes de Buena Park y los adultos, trabajaron en la reserva. Limpiaron la zona y sembraron plantas que crecerían de manera natural en ese entorno. Las plantas nativas son importantes para la fauna porque ofrecen el alimento y el refugio adecuados para los animales e insectos de la zona. Los estudiantes **utilizan** lo que saben sobre la marisma para ayudar a las criaturas que allí viven.

Los estudiantes ayudan a preservar las costas y también protegen muchas plantas y animales.

Comprometerse con la costa

Desde que en 1995 comenzó la Limpieza Costera de California, más de 750,000 californianos han participado en ella. Con su esfuerzo han ayudado a retirar 12 millones de libras de basura de las playas y las vías fluviales del estado. A nivel mundial, los voluntarios han retirado 116 millones de libras de basura. Las escuelas que participan en el programa firman una "Promesa por la costa". En la promesa se pide a los estudiantes que hagan cinco actividades que ayuden a limpiar el medio ambiente. Las actividades **enfatizan** "trabajar juntos y divertirnos haciéndolo".

Escrito en la arena

La Comisión Costera de California también realiza cada mayo "Los Niños Limpian en el Día del Océano". Mientras limpian la playa, los niños aprenden sobre la vida en el mar y cómo la contaminación daña al medio ambiente.

Un grupo de sexto grado de Los Ángeles recogió basura a lo largo del río Los Ángeles. Otra escuela secundaria en Stockton, California, limpió la basura a lo largo de cuatro millas en la playa de la bahía Half Moon. Otras escuelas adoptaron playas para mantenerlas limpias durante todo el año.

Un mensaje

Cuando termina el día de limpieza, los niños posan para una foto en la playa. Sus cuerpos forman en la arena un mensaje en letras gigantes: "Protege" o "SOS" ("ayuda" en código Morse). Cada año, miles de niños de San Francisco, Los Ángeles, Huntington y otras áreas esperan con ilusión este día.

Los estudiantes y los adultos que trabajan juntos comprenden el bien que hacen con su trabajo. Saben que son un grupo que trabaja para mejorar el mundo.

Un delfín y la palabra "protege" están formados por 3,000 niños en una playa de Los Ángeles.

 Pensamiento crítico

1. ¿Qué **problemas** se **solucionan** con el programa Limpieza Costera Internacional?

2. ¿Por qué es una buena idea realizar la Limpieza Costera a mediados de septiembre?

3. ¿Cómo crees que se sienten los voluntarios después de ayudar a limpiar una playa?

4. ¿En qué se parece la **solución** al problema de la basura en "Goles contra la basura" a la de este artículo?

Pensar y buscar

La respuesta está en más
de un lugar. Sigue leyendo
para hallar la respuesta.

Delonzo Yurcek (arriba en el centro) y sus hermanos
y hermanas entregan materiales en un asilo en
Kalamazoo, Michigan. "Pensamos que necesitaban algo
más que mochilas", dice Delonzo.

Niños que ayudan a niños

Delonzo Yurcek no tenía mochila para ir a la escuela. Delonzo, sus hermanos y sus hermanas son niños adoptados. Ellos no tenían dinero para materiales escolares y sintieron vergüenza porque tampoco tenían papel ni lápices como los demás niños.

"No queríamos que otros niños se sintieran así", dice Delonzo. Él y sus cuatro hermanos y hermanas fueron adoptados por la familia Yurcek en 1998. Ann y Jim Yurcek también tenían seis niños propios.

En 2002, toda la familia Yurcek participó para crear "Mochilas para los niños". La familia reunió dinero vendiendo cosas, recolectando botellas y latas. Los vecinos colaboraron con los niños y reunieron lápices, papel y otros materiales para la escuela y los colocaron dentro de las mochilas. Luego, se las repartieron a los niños que las necesitaban.

El primer año, la familia Yurcek repartió más de 300 mochilas. Desde entonces han ayudado a 3,000 niños a ir a la escuela.

INSTRUCCIONES
Decide cuál es la mejor respuesta para cada pregunta.

1 **Mira el diagrama con información del artículo**

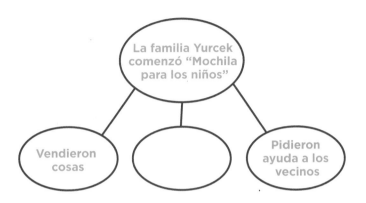

¿Qué información completa el óvalo vacío?

- **A** Entregaron 300 mochilas.
- **B** Pidieron ayuda a los niños adoptados.
- **C** Recolectaron latas y botellas.
- **D** Vendieron mochilas y materiales escolares.

---

2 **¿Por qué Delonzo, sus hermanos y hermanas sentían vergüenza el primer día de escuela?**

- **A** No tenían ropa nueva como los demás niños.
- **B** Eran los únicos niños adoptados de su escuela.
- **C** No tenían dinero para el almuerzo de la escuela.
- **D** No tenían materiales escolares como los demás niños.

3 **La familia Yurcek creó "Mochilas para los niños" —**

- **A** para hacer nuevas mochilas y darlas a niños adoptivos.
- **B** para asegurarse de que los niños tuvieran mochilas y materiales escolares.
- **C** para comprar mochilas con el dinero de la venta de materiales escolares.
- **D** para reciclar mochilas y materiales escolares usados.

A escribir

A veces a las personas nos ocurren cosas sorprendentes.

Piensa en algo sorprendente que podría ocurrirte a ti.

Ahora <u>escribe sobre</u> esa cosa sorprendente.

La escritura narrativa cuenta una experiencia personal o imaginada.

Para saber si las pautas te piden usar la escritura narrativa busca palabras clave, como <u>escribe sobre</u> o <u>escribe un relato</u>.

Lee el escrito de un estudiante que sigue las pautas anteriores:

El principio del relato explica el escenario, o el lugar donde sucede el relato.

¡Hoy fue un gran día! Me ofrecí como voluntaria para hablar en televisión sobre el proyecto escolar para recaudar dinero. Entré al estudio de televisión y dije: "Creo que tenemos que educar a las personas para que conozcan las necesidades de sus comunidades. Los albergues deben estar abastecidos para emergencias y hace falta dinero".

Al final, el presentador dijo: "Aquí hay alguien que puede ayudarte". Entonces, ¡el presidente de Estados Unidos entró en el estudio con un cheque de dos millones de dólares!

Instrucciones para escribir

Sigue las instrucciones del recuadro. Escribe durante
10 minutos todo lo que puedas y lo mejor que puedas. Lee las
pautas antes de escribir y revísalas cuando termines tu escrito.

A veces las personas vivimos días que son especiales.

Piensa cómo sería un día especial para ti.

Ahora escribe un relato breve sobre ese día.

Pautas para escribir

- ☑ Lee atentamente las sugerencias.
- ☑ Organiza tus ideas para planear el texto.
- ☑ Apoya tus ideas contando más detalles sobre cada hecho.
- ☑ Asegúrate de que tu relato tenga principio, desarrollo y final.
- ☑ Revisa y corrige tu texto.
- ☑ Asegúrate de usar correctamente la puntuación en el diálogo.

¿Qué te gusta hacer con tu familia? ¿Qué compartes con ellos?

Conéctate

Busca información sobre cocinar en **www.macmillanmh.com**

Compartir

Aprendiz de panadero

Vocabulario

admiración   ufanarse
espolvorear   inclinación
engullir   atisbar
inspección

Sinónimos

Un **sinónimo** es una palabra que tiene el mismo o casi el mismo significado que otra.

Las palabras *inspeccionar* y *observar* son sinónimos porque significan "mirar con atención".

Iñigo Javaloyes

Mis hermanos y yo sentíamos gran **admiración** por nuestro tío Lucas. Nos **ufanábamos** de tener de tío al mejor panadero del mundo. Todas las noches hacía cientos de hogazas de pan. También hacía rosquillas de canela y sésamo, que eran unos bollos grandes y esponjosos. Me encantaba verlo **espolvorear** azúcar por encima de las bolas de masa, que al tostarse en el horno perfumaban todo con su delicioso olor a caramelo. Los sacaba listos con una pala grande de madera y, con una leve **inclinación**, los colocaba dentro de una bandeja.

En Semana Santa hacía unas rosquillas especiales, llamadas roscas de pascua. Después de hacer la masa, le metía un huevo cocido en el centro. Luego en el horno, la masa crecía y **engullía** al huevo casi por completo.

Una vez me dejó ir con él a su trabajo. Al llegar, mi tío me dio un gorro blanco y un delantal, y me dijo:

—¿Sabes hacer rosquillas?

—Por supuesto —le respondí, aunque la verdad era que jamás las había hecho.

Tío Lucas sacó de una máquina una masa amarillenta y me pidió que hiciera cuantas pudiera.

Me puse manos a la obra tratando de **atisbar** por el rabillo del ojo cómo las hacía él. Su rapidez era asombrosa. Yo, sin embargo, tardé casi diez minutos en hacer media docena. Aunque él se hacía el distraído, yo estaba bajo su atenta **inspección**. Me iba dando pequeños consejos para hacerlas más rápido y mejor. Finalmente aprendí. ¡Aquella noche hice más de doscientas!

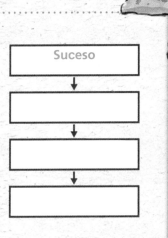

Volver a leer para **comprender**

 ### Verificar la comprensión
Orden de los sucesos

Para verificar tu comprensión de un artículo haz una lista de los sucesos en el orden en que ocurren. Las palabras clave que muestran el **orden de los sucesos**, son *primero, luego, entonces, después de, finalmente, más tarde*.

Un diagrama de orden de los sucesos te ayuda a identificar en qué orden ocurrieron los hechos.
Vuelve a leer la selección para completar el diagrama.

Suceso

↓

↓

↓

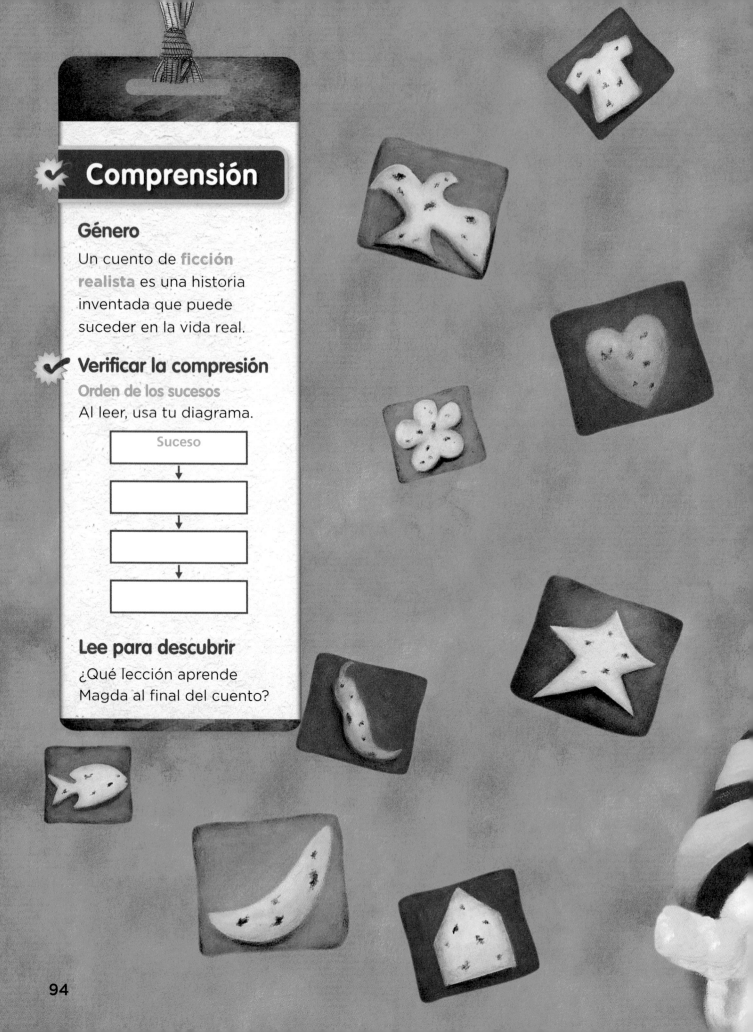

Comprensión

Género

Un cuento de **ficción realista** es una historia inventada que puede suceder en la vida real.

Verificar la compresión

Orden de los sucesos

Al leer, usa tu diagrama.

Suceso

↓

↓

↓

Lee para descubrir

¿Qué lección aprende Magda al final del cuento?

Las tortillas de Magda

Becky Chavarría-Cháirez
ilustraciones de Anne Vega

—¡Mira, Abuela! *Look!*

Magda Madrigal se acababa de lavar las manitas, y ahora las presentaba para su **inspección**. Era hora de trabajar en la cocina de su abuela. Entusiasmada, Magda no se podía estar quieta. Hoy cumplía siete años y Abuela Madrigal le había prometido que el día de su cumpleaños tendría la edad suficiente para su primera clase de cómo hacer tortillas.

Magda trataba de imitar cada movimiento de Abuela. Se había recogido el cabello en un moño como el de su abuela. Magda se puso el delantal y también trató de amarrárselo sin mirar, pero no pudo. No quería admitir todavía que necesitaba un poquito de ayuda, y finalmente Magda jaló silenciosamente el dedo meñique de Abuela.

Abuela cogió una bola de masa de un recipiente de mezclar que estaba en la mesa de la cocina y la dejó caer sobre la tabla de cortar. La tocó con el dedo meñique para ver qué tan blandita estaba. Magda también la tocó.

—*How easy!* —dijo para sí. Era más suave que la arcilla con la que jugaba en la escuela.

Magda había observado a Abuela hacer tortillas muchas, muchas veces desde que era pequeñita. Estaba segura que su primera tanda de tortillas sería tan perfecta y éstas tan redondas como las de Abuela.

Abuela miró a su nieta con una sonrisita.

—¿Lista, Magda? —preguntó.

Orden de los sucesos
Describe qué hace Magda antes de comenzar con su primera tanda de tortillas.

—Sí, Abuela, estoy lista, *I'm ready* —dijo Magda con una impaciente **inclinación** de cabeza.

Abuela puso la primera bolita de masa en el centro de la tabla de cortar. Magda hizo dos puños con las manos y aplastó la bola. La masa se sentía suave y tibia. Magda la golpeó, gruñendo por el esfuerzo. Cuando terminó, se hizo hacia atrás para mirar cómo había quedado su primera tortilla.

—¡Ay, mira! —exclamó Abuela con **admiración**.

Pero Magda bajó la cabeza.

—¡*Yucko!* Abuela. Ésta no es una tortilla.

—No es *yucko*, mi hijita. ¡Mira lo que has creado! —dijo Abuela con orgullo—. ¡Un corazoncito!

—¿Queeeé? —dijo Magda, pestañeando. Levantó despacio la cabeza y miró a su abuela con los ojos muy abiertos. ¡Era un corazoncito!

—Pero, no se supone que sea un corazón —se quejó—. Yo quería una tortilla perfectamente redonda, como las que haces tú.

—Bueno, entonces, trata otra vez. Ándale —Abuela sonaba igual que la mamá de Magda cuando daba órdenes en casa.

Magda respiró profundo. Esta vez decidió usar el palote de amasar. Entonces se acordó que la abuela siempre rociaba el palote. Magda tomó la harina fina y blanca.

—Un poquito, un poquito —sugirió Abuela—. Sólo **espolvoréalo** como si fuera talco.

Magda cerró los ojos y los apretó. Hizo presión sobre la bola de masa. De arriba hacia abajo, de un lado para el otro. Magda luchaba con el palote. Estaba decidida a que la tortilla le quedara bonita, plana y redonda.

Por fin puso el palote a un lado. ¿Cómo había quedado su segunda tortilla? Magda **atisbó** con un ojo y luego con el otro. Se cruzó de brazos e hizo una bola con los labios. Parecían un pequeño montón de masa rosada.

—¡Abuela, me doy por vencida! *I give up!* —exclamó Magda. Salió de la cocina dando zapatazos en un resoplido de harina.

—¿Pero por qué, mi hijita? —Abuela llamó a Magda—. Mira la estrella que has hecho. Es la estrella de Navidad, la estrella de Belén —le dijo.

Magda iba ya por la mitad del pasillo, pero se detuvo.

—¿Queeé? —murmuró para sí. Regresó corriendo para escuchar de qué hablaba Abuela. Tal vez Abuela vio algo que Magda no había visto. La tortilla sí tenía cinco puntas, como una estrella. De pronto Magda se dio cuenta de que no era el momento de desistir. Hacer tortillas no era tan fácil como ella creía, pero ciertamente estaba lleno de sorpresas.

Magda agarró el palote otra vez y continuó amasando las bolitas. Después de seis, siete, ocho bolas, tenía la misma cantidad de figuras diferentes. Magda ansiaba una tortilla perfectamente redonda, pero ni una era como las de Abuela. Magda hizo un corazón, una estrella de Navidad y un plátano. Hizo hasta un *hexágono*. Así lo llamó Eduardo, el hermano mayor de Magda, quien decía saber todo sobre geometría. Hizo una nube, un balón de fútbol americano y una flor. Abuela le dijo a Magda que la de los bordes retorcidos le recordaba los lagos que estaban cerca de su pueblo en México.

Junto a Magda, Abuela amasaba aún más tortillas, suficientes para la merienda de la tarde, que se daba en honor del cumpleaños de Magda.

El palote de Abuela parecía bailar y saltar de arriba hacia abajo, para adelante y para atrás, con un *tun-tun-patún tun-ta-ca-tún*. Abuela ni siquiera miraba lo que estaba haciendo. Y sin embargo, cada tortilla que hacía le salía igual: ¡perfectamente redonda!

Eran tan redondas como relojes, como las llantas de un automóvil, como las pizzas, pensó Magda mientras observaba trabajar a su abuela. Era como si Abuela las hubiera cortado con un molde. Cómo hubiera querido Magda tener algo para que sus tortillas también quedaran redondas.

—Es todo, *that's it* —dijo al fin Abuela, suspirando. Amasó la última tortilla, perfectamente redonda, y se dirigió hacia el comal que estaba sobre la estufa. Pronto todas las tortillas, las de Magda y las de Abuela, se llenaron de burbujas castañas por los dos lados, calientes, recién salidas del comal.

Abuela le pidió a Magda que llamara a toda la familia para la merienda. Luego puso las tortillas de Magda en uno de sus mejores platones, y lo colocó en el centro de la mesa del comedor.

Pero Magda no estaba ansiosa por servir sus tortillas.

—Se burlarán de sus extrañas formas —se dijo. Se escondió detrás de Abuela, tapándose los oídos y metiendo la cara entre el lazo de su delantal. Aún así, escuchó las exclamaciones.

Eduardo, el hermano mayor de Magda, su hermanito Gabriel y sus primos Carina, Marisol, Lucy y Martín, todos estaban gritando. Abuela saltó con el ruido, y Magda apretó aún más las manos sobre las orejas.

—¡Yo primero! *Me first!* Soy el mayor —oyó que decía Eduardo.

—¡No, yo, yo, yo! *Meeeee!* —chilló Gabriel—. ¡Soy el más pequeño! —dijo el niño poniéndose de puntillas y agarrándose del borde de la mesa.

—Bueno, yo soy la que tengo más hambre —dijo Carina.

Magda no entendía por qué tanto alboroto. Se llenó de valor y atisbó detrás de Abuela. Pero los niños no le habían puesto atención al plato de Abuela. ¡Estaban peleándose por las tortillas de *Magda*!

—Bien, mi hijita —dijo la mamá de Magda—. Sé que tienes la mejor maestra, pero también tienes un talento especial. Mi Magda es una artista en tortillas.

—Sí, es cierto —Abuela estuvo felizmente de acuerdo.

—Mira, nuestra Magda es muy talentosa —dijo Tío Manuel.

Magda tenía que ver por sí misma. Se salió de detrás de Abuela, se sacudió las manitas y se quedó mirando el platón en la que estaban las diferentes figuras. Una sonrisa apareció en su rostro, y Magda se alegró de su logro.

—Una artista en tortillas —Magda murmuró para sí.

—Sí, muy talentosa — **se ufanó** el papá de Magda.

Orden de los sucesos
¿Qué sucede cuando la abuela trae las tortillas a la mesa?

106

Tío Manuel agarró la cámara de fotografía y rápidamente tomó un retrato. Pronto las tortillas se untarían de mantequilla y serían **engullidas**, pero él guardaría este momento único y las tortillas originales de Magda para el álbum de la familia. En un segundo los niños se amontonaron alrededor de Abuela, quien trataba de recuperarse del destello de la cámara fotográfica.

—¡Enséñame, enséñame! *Teach me!* —gritaron todos.

—¡Ay! no, lindos —respondió Abuela dulcemente, callando a los niños con un gesto de las manos.

—¿Por qué? ¡Ay! ¿Por qué no, Abuela? *Why not?* —dijo el pequeño Gabriel. El cuarto se quedó otra vez en silencio en espera de una respuesta. Abuela puso las manos sobre los hombros de Magda antes de hablar.

—Miren, chiquitos, algún día les enseño a cada uno cómo hacer tortillas —dijo Abuela—. Pero Magda es la artista. Sólo ella les puede enseñar su secreto.

Qué honor para Magda oír tal elogio de su abuela, quien hacía tortillas tan perfectamente redondas. Magda se sintió muy especial y más grande.

—Gracias, Abuela —dijo Magda. Luego jaló el delantal de Abuela para que ésta se agachara—. Tengo un secreto —susurró.

—Dime, hijita —Abuela la instó.

Magda puso los brazos alrededor del cuello de Abuela.

—No importa cuántas tortillas haga ni cuántas figuras invente, las tuyas siempre serán mis favoritas. Nunca las haré de la misma manera que tú.

Una lagrimita rodó por entre las arrugas de la mejilla sonriente de Abuela. Luego Magda le dio un abrazo, un abrazo tamaño abuela.

Después Magda tuvo otra idea. Se arrimó más y preguntó: —¿Abuela? ¿Cuándo me vas a enseñar cómo preparar la masa?

Abuela se rió.

—Mira, ¿qué tal si lo hacemos dentro de un año, para tu octavo cumpleaños, mi linda?

La cara de Magda se iluminó. ¡No podía esperar!

—Pero primero, —añadió Abuela— necesitas hacer más tortillas para tu merienda. Ya casi se acaban. ¡Ándale, Magda!

—¡Sí, Abuela! —dijo Magda—. ¿Pero... qué figuras hago?

Abuela soltó una carcajada. —¡Ay! mi linda, las que quieras. Ahora todo está en tus manos.

En la cocina
con Becky y Anne

Autora

Becky Chavarría-Cháirez al tener a sus dos hijas tuvo dificultades para conseguir literatura de diferentes culturas, por lo que considera que tiene una misión personal que es escribir para y sobre los niños hispanos y sus costumbres. Muestra de esto es *Las tortillas de Magda*, su primer libro.

Otro libro de
Becky Chavarría-Cháirez

Ilustradora

Anne Vega es artista plástica e ilustradora. Anne estudió arte en Ohio y en San Francisco y ha ilustrado varias portadas de libros. *Las tortillas de Magda* es el primer libro para niños, donde nos complace con unas fabulosas ilustraciones.

Conéctate
Busca información sobre Becky Chavarría-Cháirez y Anne Vega en **www.macmillanmh.com**

✔ Propósito de la autora

Supón que tú escribiste *Las tortillas de Magda*. Explica cuál es tu propósito para escribir esta historia.

Pensamiento crítico

Resumir

Usa tu diagrama de orden de los sucesos para resumir *Las tortillas de Magda* y vuelve a contar el cuento en el orden en que ocurrieron los hechos.

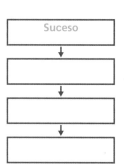

Suceso
↓
↓
↓

Pensar y comparar

1. En el **orden** correcto, nombra los pasos que siguió Magda hasta que estuvieron listas las tortillas. **Verificar la comprensión: Orden de los sucesos**

2. Observa la ilustración de la página 102. ¿Cómo describirías la mirada de la abuela? **Analizar**

3. ¿Qué pensaba Magda de sus tortillas antes de que todos mostraran **admiración** por ellas? ¿Crees que Magda tenía buenas razones para estar tan preocupada? Explica tu respuesta. **Evaluar**

4. ¿Por qué crees que es importante aprender a hacer las cosas a tu manera? **Aplicar**

5. Lee "Aprendiz de panadero" en las páginas 92 y 93. Compara la experiencia del narrador con la de Magda. Usa detalles en tu respuesta. **Leer/Escribir para comparar textos**

¿Qué comemos hoy?

Leonard Mercury

¿Qué va a comer hoy tu familia para el almuerzo? ¿Qué van a preparar? Seguramente tus almuerzos serán muy distintos a los de otras familias de otros países. En algunos países, la hora del almuerzo es la hora de la sopa. Hay muchos tipos de sopas **singulares**, o diferentes, en todo el mundo. Algunas son livianas y transparentes como el agua. Otras son espesas como un estofado. ¡Y algunas están repletas de fideos! Echemos un vistazo para ver qué almuerzan las familias de otras partes del mundo.

México: Sabrosas tortillas

Muchas familias de México comen tortillas. Casi todas las tortillas están hechas de maíz molido, pero también se hacen con harina de trigo. Las tortillas suelen ser finas y redondeadas, aunque a veces se hacen de otras formas. Los tacos se hacen a base de tortillas de maíz rellenas de frijoles o carne. A los tacos se les ponen salsas muy sabrosas a base de tomate cortado, cebollas, pimientos picantes y especias. Las salsas añaden sabor y vitaminas.

Rusia: A tomar sopa

En Rusia, los inviernos son muy fríos. Quizá sea esa la razón por la que tantas familias rusas toman sopa en los almuerzos. Dos de sus sopas favoritas son la de col y la de remolacha.

Las sopas rusas también suelen llevar papas. La papa es un producto **agrícola** muy importante en Rusia. Hacen las sopas más espesas y **sustanciosas**. Las sopas espesas ayudan a satisfacer el apetito.

Almuerzos en diferentes países

Leer una tabla

Las tablas clasifican la información en hileras y columnas. Esta tabla tiene dos títulos en la primera hilera: "País" y "Almuerzos". En la primera columna aparecen los nombres de los países. En la segunda, aparece lo que se come en cada lugar.

columna

País	Almuerzos
Rusia	sopa de remolacha o papa; pan de trigo o centeno
México	tortillas con frijoles negros y salsa
India	chapatis con dal
Tailandia	fideos de arroz con tofu, camarones y cacahuates
Corea del Sur	calamar con salsa picante, arroz y kimchi de rábano

hilera

Corea del Sur: Pásame el kimchi

En Corea del Sur, los almuerzos son muy variados. Pero sea el que sea, siempre lleva arroz. El **kimchi** es carne o verduras avinagrados tampoco falta nunca en las mesas coreanas.

Las familias coreanas mezclan muchos platillos y sabores en sus almuerzos. Su comida suele ser muy picante y condimentada.

Tailandia: Fideos al mediodía

Los almuerzos tailandeses suelen llevar fideos. Hay muchas maneras de servirlos. Uno de los platos más comunes se hace a base de fideos de arroz, tofu y camarones. Los fideos de arroz también se preparan con carne, verdura y una salsa muy espesa.

India: Deliciosos chapatis

Muchas familias de la India almuerzan **chapatis**. Los chapatis sólo tienen dos ingredientes: harina de trigo y agua. Con la harina y el agua se hace una masa que se estira hasta que queda muy fina. Esa masa se cocina al horno hasta que se infla. Luego se pone al fuego.

Algunas familias comen sus chapatis con dal. El dal se parece a una sopa muy espesa. ¡Es picante y muy rica!

 Pensamiento crítico

1. Mira la tabla de la página 113. ¿Qué tipos de sopa almuerzan las familias en Rusia? **Leer una tabla**

2. Según lo que has aprendido, ¿en qué lugar del mundo te gustaría almorzar? Explica tu respuesta. **Evaluar**

3. Piensa en este artículo y en *Las tortillas de Magda*. ¿En qué se parecen los chapatis y las tortillas que hace Magda? Da detalles en tu respuesta. **Leer/Escribir para comparar textos**

 Estudios Sociales

Averigua qué comen las familias de otros países que no están en la tabla, como Australia, Irán o Grecia. Copia la tabla e incluye nuevas hileras de información.

Busca información sobre almuerzos en **www.macmillanmh.com**

Formato de diálogo

El **formato de diálogo** ayuda al lector a identificar con facilidad quién está hablando en el cuento.

Conexión: Lectura y escritura

Lee el siguiente pasaje. Observa cómo la autora Becky Chavarría-Cháirez presenta el diálogo para hacer que el texto sea fácil de leer.

Pasaje de
Las tortillas de Magda

La autora usa los guiones de diálogo para introducir las palabras de un personaje. Los guiones de diálogo ayudan al lector a saber cuándo algún personaje está hablando.

—¡Yo primero! *Me first*! Soy el mayor —oyó que decía Eduardo.

—¡No, yo, yo, yo! *Meeeee!* —chilló Gabriel—. ¡Soy el más pequeño! —dijo el niño poniéndose de puntillas y agarrándose del borde de la mesa.

—Bueno, yo soy la que tiene más hambre —dijo Carina.

Las tortillas de Magda

Becky Chavarría-Cháirez
Ilustraciones de Anne Vega

Lee y descubre

Lee lo que escribió Roy. ¿Cómo usó Roy el diálogo para mostrar lo que estaba ocurriendo? Usa el control de escritura como ayuda.

¡Gané!
Roy H.

—Mamá, ¿puedo ir a casa de Malik?

Por la cara de mi mamá sabía que ella encontraría la manera de decir "no".

—¿Cómo vas a ponerte al día con las tareas si te dejo ir?

Respondí a esa pregunta con una sonrisa.

A mi mamá le gustaba responder a mis preguntas con otra pregunta.

—¿Te refieres a las tareas que acabo de terminar?

Control de escritura

✓ ¿Usó el autor **guiones de diálogo** para introducir las palabras de cada personaje?

✓ ¿Distinguió el autor entre la narración y el diálogo usando guiones de diálogo?

☑ ¿Puedes saber con facilidad cuándo y dónde un personaje está hablando?

En familia

¿Te gusta viajar con tu familia? ¿Cómo colaboran todos en los preparativos?

Conéctate

Busca información sobre viajes en
www.macmillanmh.com

Vocabulario

mellizo

alboroto

preparativo

caravana

corpulento

varón

desconcertado

Diccionario

Los **homófonos** son palabras que se pronuncian igual pero se escriben de manera diferente.

Las palabras *varón* y *barón* son homófonos.

Mis vacaciones de invierno

Meredith Gamboa

22 de diciembre

Hola diario: Salimos para Florida a visitar a los tíos Susi y Mike, los primos Tim y Luis que son **mellizos**, y la prima Laura. Vamos cada año para las fiestas. El viaje siempre nos parece divertido, así que hacemos mucho **alboroto** antes de salir. Papá me apura, así que mejor termino con los **preparativos** del viaje.

23 de diciembre

Viajamos muy despacio porque nos encontramos con una **caravana** de carros al atardecer. Estábamos cansados de estar tanto tiempo sentados. Entonces, mamá sugirió parar en un hotel. Allí pasamos una buena noche.

26 de diciembre

Hemos estado por dos días en casa del tío Mike, un señor **corpulento**, como sus hijos **varones**. Ayer hizo langostas para el almuerzo. Me parecieron horribles y no me las puede comer. Me sentí incómoda, además pensé que me quedaría con hambre. Pero mi tía Susi al ver mi plato aún lleno, me ofreció un sándwich de atún. Yo lo acepté muy agradecida.

28 de diciembre

Hoy me sentí **desconcertada** al despertar y ver un paquete enorme junto a mi cama. Era de mi abuela. ¡Era una tabla para correr olas!

¡Es hora de ir a la playa y probarla! ¡Hola olas!

Me encanta el mar, pero el agua está muy fría. Laura le tiró un balde de agua a papá. ¡Cómo saltó! Laura trató de disimular, pero papá sabía que había sido ella. ¡Lo hace todos los años!

30 de diciembre

Último día en la playa. Ojalá no tuviéramos que irnos, pero la escuela comienza en unos días, y mamá dice que tenemos que ir a comprar comida al llegar. Mientras recorra el supermercado, pensaré en la playa y desearé volver a usar mi tabla el año que viene.

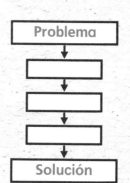

Volver a leer para **comprender**

✔ Hacer inferencias y analizarlas

Problema y solución

El argumento de una historia comienza con un personaje que tiene un **problema**: quiere hacer, encontrar o cambiar algo. La **solución** es cómo se resuelve ese problema.

Un diagrama de problema y solución te ayuda a analizar la estructura del cuento. Vuelve a leer la selección para hallar los problemas y cómo el personaje los soluciona.

Problema

↓

↓

↓

↓

Solución

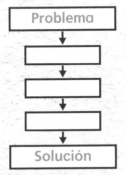

Comprensión

Género

Un cuento de **fantasía** es una historia con elementos inventados que no podrían suceder en la vida real.

Hacer inferencias y analizarlas

Problema y solución

Al leer, usa tu diagrama.

```
   Problema
      ↓
  [        ]
      ↓
  [        ]
      ↓
  [        ]
      ↓
   Solución
```

Lee para descubrir

¿Lograrán ir todos al circo? ¿Cómo harán para ir?

Autora
premiada

El tren más largo del mundo

Silvia Schujer
ilustraciones de Alberto Pez

Esta es la historia de una familia: la de los Gómez.

Una familia grande, nutrida, abultada. Tan llena de gente que algunos despistados la confunden con un pueblo entero. Tan numerosa que no sólo está constituida por personas, sino también por plantas y animales que llevan el mismo apellido.

La mamá es una señora alta. Tiene las piernas largas y los cachetes anaranjados. Vista de la cintura para abajo parece un cabello de ángel. Vista de la cintura para arriba, la copa de un árbol de mandarinas.

El papá es un hombre **corpulento**. Usa una gorra los fines de semana. No fuma en pipa y casi siempre se lo ve de mameluco cuando sale a trabajar.

De mayor a menor, los hermanos Gómez son los siguientes: Florencia, Horacio, Eleonora, Marisa, Teresa, Estela, los **mellizos** Donato y Dolores, Soledad, Martín, Marcelino, Salvador, Pancho, Jazmín, Clavelina, Jacinto, Luis Pedro (el conejo), María de los Ángeles (la tortuga), Juan Alberto (el perro), Sofía (la gata) y Don Carlos, un canario al que algunos bautizaron Benjamín, por ser el menor en cuestión de tamaño y edad.

Papá y mamá Gómez duermen en una habitación algo rara: chica, pero de cama bien grande. De este modo los hijos se pueden meter adentro las noches de tormenta eléctrica. Cuando tienen ataques de miedo, de mimos o sencillamente de domingo.

Florencia, Eleonora, Marisa, Teresa y Estela Gómez se las arreglan en una sola pieza. Allí cada una tiene su propia cama pero todas comparten el ropero, el escritorio, la biblioteca y el espejo.

Lo mismo ocurre con los **varones**: Horacio, Donato, Martín, Marcelino y Pancho duermen en la misma habitación. Y se llevan bastante bien a no ser por las veces en que alguno pierde una zapatilla y el espacio de todos se convierte en un campo de batalla.

Dolores y Soledad, las más chicas de las mujeres, se reparten el comedor. María de los Ángeles, con ellas. Soledad usa la cuna heredada de sus hermanos mayores y Dolores, una cama que de día es sillón.

Jazmín, Clavelina y Jacinto comparten el patio de entrada. Luis Pedro y Juan Alberto la cucha.

Don Carlos se acomoda en la rama del ciruelo y Sofía en el lugar más confortable de la casa: en invierno cerca del horno, en verano del ventanal.

La familia Gómez es un ejemplo de organización.

Para bañarse tienen horarios.

Para hacer las compras, turnos.

Para hablar por teléfono sacan número a la mañana.

Los cumpleaños se festejan una vez por mes.

Lindo es verlos cuando miran la televisión. El comedor se convierte en la platea de un cine.

Así son. Muchos, pero felices. Y nada más habría para contar sobre ellos si no fuera por lo que les pasó.

Terrible. Les regalaron entradas para ir al circo.

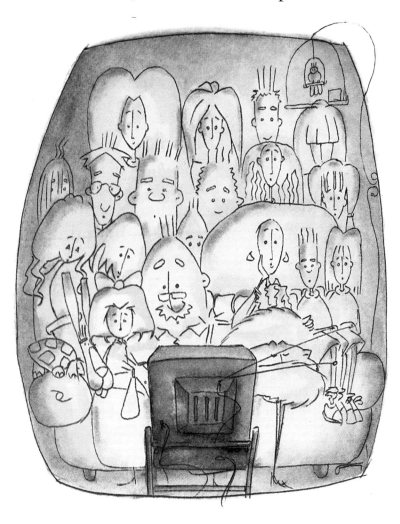

Problema y solución
¿Cómo resuelve la familia el problema de espacio en la casa?

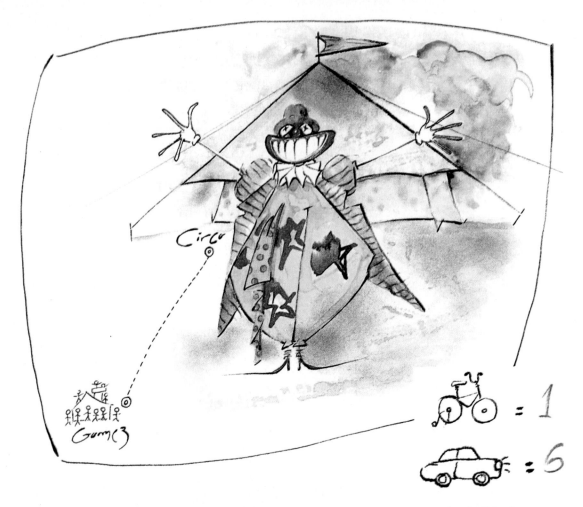

El circo quedaba en la otra punta de la ciudad. Y si hay algo que los Gómez nunca habían logrado era salir a pasear todos juntos a un sitio al que no pudieran llegar yendo a pie.

Los Gómez eran tantos (son tantos), que al verlos en la parada los colectivos siguen de largo.

En un taxi no entran ni ocupando el porta-equipajes.

Bicicleta tienen una sola. Con rueditas. Y autos, necesitarían como seis.

Cuando los Gómez recibieron las entradas para el circo se pusieron contentísimos. Los más chicos dieron saltos de alegría tan altos que casi pegan sus cabezas contra el techo.

Cuando en cambio se dieron cuenta de que no podían ir, se pusieron tan, pero tan tristes que de sólo verlos daban ganas de llorar.

Hagamos un paréntesis en este lugar de la historia y tratemos de imaginar cómo es la pena multiplicada por veintitrés. Veintitrés pares de ojos apenas abiertos hasta la mitad. Veintitrés miradas que se caen al suelo. Veintitrés cabezas que no pueden levantarse. Veintitrés bocas apretadas de rabia. Veintitrés corazones que laten por compromiso.

La gente del barrio quería mucho a los Gómez. Para el almacenero, por ejemplo, eran los mejores clientes. Para la directora del colegio, la mayor parte del alumnado.

Para los chicos... Bueno, no había uno solo de ellos que entre sus amigos no contara por lo menos con un Gómez.

Decididos a brindar ayuda a la familia, los vecinos se reunieron a pensar.

Se juntaron en el medio de una plaza y después de algunos minutos cada cual aportó una solución.

—Que vayan los más grandes y entre todos les cuidamos a los chicos...

Directora

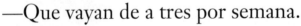

Almacenero

—Imposible, los Gómez están en contra de la discriminación.

—Que vayan de a tres por semana.

—Pidamos prestado un elefante.

—Alquilemos el vagón de un tren...

Un Gómez

Un Chico

Al oír que mencionaban la palabra tren, la cara de un vecino se iluminó hasta las orejas. Las mejillas se le prendieron como si fueran lamparitas.

El hombre dijo que tenía una idea brillante y los demás hicieron silencio para escuchar. Habló pausadamente.

Las palabras le salieron redondas. Parecían burbujas de luz.

—Y bien —dijo el hombre para terminar—. Yo puedo aportar mi tractor —concluyó.

—Y yo mi triciclo —siguió el heladero cuando se repuso de la sorpresa.

—Y yo un monopatín.

Y el albañil prometió su carretilla, y la señora de la esquina su changuito, y el muchacho de la vuelta una moto y hasta fueron propuestos un trineo y una patineta.

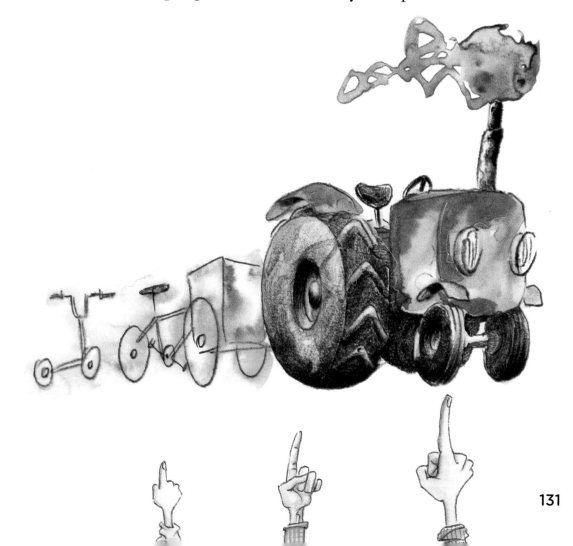

La cuestión es que al día siguiente el señor Gómez asomó su triste nariz por la ventana y se encontró con la novedad.

"¡Dios mío!" se dijo **desconcertado**.

"¿Qué es esto?" se interrogó. Y en menos de un segundo estaba toda su familia alrededor repitiendo a veintitrés voces lo mismo.

Hagamos un paréntesis en este lugar de la historia para tratar de imaginar cómo es el desconcierto multiplicado por veintitrés. Son veintitrés bocas quedándose abiertas como túneles. Son veintitrés pares de ojos agrandándose hasta la frente para poder ver mejor. Son veintitrés nudos en las gargantas que se están por desatar.

El señor Gómez se preguntó como cien veces
más qué era lo que estaba viendo por la ventana.
Hasta que en una de esas decidió salir a la calle
y averiguar.

Fue entonces cuando lo vio. Era un tren lo que
empezaba en la puerta de su casa y ocupaba todo
el resto de la cuadra. Era un tren. Y fue a verlo
para comprender.

Cuando el señor Gómez comprendió que gracias a los vecinos podría ir al circo con toda su familia tuvo ganas de saltar y de salir corriendo a agradecerle el favor a cada uno. Con besos, abrazos, apretones de mano y alguna lagrimita, por qué no.

Claro que como la función empezaba temprano, el hombre no tuvo más remedio que dejar los agradecimientos para el otro día y mientras tanto volver a su casa para encarar los **preparativos**.

Ya en casa, desde el primero hasta el último, los Gómez se vistieron como si fueran a una fiesta. No fue fácil.

Las mujeres, se pusieron vestido. Los varones, pantalones recién planchados. Y todos, absolutamente todos los Gómez, un sombrero a rayas fosforescentes gracias a las cuales se mantendrían juntos y reconocibles entre la multitud.

Cuando la familia estuvo lista, cada uno tomó algún lugar en el tren.

Florencia por ejemplo, se instaló en el vagón triciclo de heladero.

Horacio, en el vagón carretilla.

Marisa, Teresa y Estela, en el vagón monopatín.

Papá y mamá Gómez ocuparon los asientos del tractor. Lo pusieron en marcha como quien hace arrancar una locomotora y el viaje empezó.

Problema y solución
¿Cuál fue el problema para ir al circo y cómo lo solucionaron?

Increíble. Por primera vez en la vida, los Gómez paseaban todos juntos por la ciudad. Estaban tan contentos, hacían tanto **alboroto** que al verlos, la gente los confundía con una comparsa de carnaval. Les tiraban papelitos, les pedían autógrafos...

Es más, cuadra tras cuadra cientos de personas se sumaban a la **caravana** y, sin saberlo, se dirigían rumbo al circo haciendo cada vez más largo el tren que transportaba a la familia.

Cuando por fin llegaron al circo la
función acababa de empezar. Fue entonces
que tal como estaban, con tren y compañía,
los Gómez se metieron en la carpa sin
esperar al acomodador.

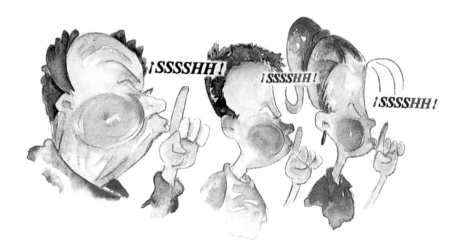

La primera reacción del público fue pedir silencio a los recién llegados.

La segunda pararse a ver bien lo que parecía el mejor número del espectáculo hasta ese momento.

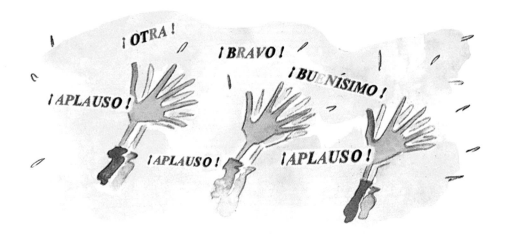

La tercera ponerse a aplaudir.

Fue tan aplaudida la entrada del tren en la carpa, que los dueños del circo pensaron seriamente en contratar a los Gómez para que actuaran con ellos. Y lo hubieran hecho los Gómez, seguro, de no haber sido por Sofía que odia los escenarios casi tanto como a los ratones.

Al circo con Silvia y Alberto

Autora

Silvia Schujer nació en Buenos Aires, Argentina. Le gustan mucho los niños, por eso ha escrito muchos libros para ellos. Algunos de sus libros han recibido premios muy importantes y han sido traducidos a diversos idiomas.

Ilustrador

Alberto Pez es un ilustrador argentino. Dicen que cuando era niño le gusta dibujar en todas partes. A este cuento le da un toque maravilloso con las imágenes, entre la realidad y la fantasía. Además, son muy divertidas. Hoy su talento es reconocido.

Otros libros de Silvia Schujer y Alberto Pez

Conéctate
Busca información sobre Silvia Schujer y Alberto Pez en **www.macmillanmh.com**

Propósito de la autora

Los escritores de ficción con frecuencia escriben para informar o entretener. ¿Por qué Silvia Schujer escribió esta historia? ¿Cómo lo sabes?

Pensamiento crítico

Resumir

Resume el argumento de *El tren más largo del mundo*. Usa tu diagrama de problema y solución como ayuda para resumir el cuento.

Problema
↓
↓
↓
↓
Solución

Pensar y comparar

1. ¿Por qué el regalo resultó ser un **problema**? ¿Cuál fue la **solución**? Hacer inferencias y analizarlas: Problema y solución

2. Vuelve a leer la página 133 de *El tren más largo del mundo*. ¿Qué tiene de especial el tren de este cuento? Usa detalles del cuento en tu respuesta. **Evaluar**

3. ¿Te gustaría viajar en el tren más largo del mundo? **Aplicar**

4. ¿Por qué crees que viajar en la **caravana** de los Gómez sería mucho más interesante que ir en un tren normal? **Evaluar**

5. Lee "Mis vacaciones de invierno" en las páginas 120 y 121, compara este cuento con *El tren más largo del mundo*. ¿En qué se diferencian las dos familias? Usa detalles de ambos cuentos en tu respuesta. **Leer/Escribir para comparar textos**

CONSEJOS PARA UN VIAJE

Lauren Eckler

Estudios Sociales

Género

Un artículo de **no ficción** puede tener instrucciones de cómo hacer algo.

Elemento del texto

Las **instrucciones** indican cómo seguir los pasos de un proceso. Por ejemplo, las instrucciones son pasos que ayudan a encontrar el camino.

Palabras clave

identificación

destino

¿**Q**uieres hacer el viaje más divertido de tu vida? Entonces debes planificarlo. Los buenos viajes suelen resultar excelentes cuando recuerdas una regla importante: estar preparado.

Maletas

Empieza a hacer las maletas varios días antes de salir, de manera que te dé tiempo de pensar qué necesitas. Haz una lista de las cosas que quieres llevar y ve tachándolas a medida que las empaques. No te olvides colocarles una **identificación** con tu nombre, domicilio y número de teléfono.

Preparativos

Lee acerca del lugar que vas a visitar. Busca libros en la biblioteca sobre tu lugar de **destino**, o escribe su nombre en un buscador de Internet. Busca cosas que te interesen, agregando palabras como "parque acuático" u "observar ballenas".

Leer instrucciones

Lee estas instrucciones numeradas en orden. Las distancias indican cuánto hay que permanecer en cada carretera.

Instrucciones

1. Gira a la DERECHA al salir del HOTEL FELIZ.   0.6 millas
2. Gira a la IZQUIERDA en la AVENIDA UNIDA.   0.5 millas
3. Gira a la DERECHA en la AVENIDA LINCOLN.   5.1 millas
4. Gira a la DERECHA en la CALLE MARINA.   1.8 millas
5. Has llegado al AEROPUERTO NUBES BLANCAS.

DURACIÓN DEL VIAJE: 16 minutos   **DISTANCIA TOTAL: 8.0 millas**

Lee las instrucciones a un conductor paso a paso. Di, por ejemplo: "Sigue 0.6 millas. Luego gira a la derecha en la Avenida Unida".

Pensamiento crítico

1. Mira las instrucciones. ¿Qué es lo primero que hace el conductor? ¿Cuánto durará el viaje? **Leer instrucciones**

2. ¿Cuál crees que es el mejor consejo de este artículo? Explica tu respuesta. **Evaluar**

3. Piensa acerca de este artículo y *El tren más largo del mundo*. ¿Qué preparativos crees que hicieron los Gómez para su viaje? **Leer/Escribir para comparar textos**

 Estudios Sociales

Planifica una excursión a un lugar que te guste. Escribe qué empacarías para esa excursión y las instrucciones de cómo llegar al lugar.

 Busca información sobre viajes en **www.macmillanmh.com**

Formato de diálogo

El **guión de diálogo** ayuda al lector a identificar qué personaje del cuento está hablando.

Conexión: Lectura y escritura

Lee el siguiente pasaje. Observa cómo la autora Silvia Schujer presenta el formato de diálogo para que su texto resulte fácil de leer.

Pasaje de
El tren más largo del mundo

La autora usa los guiones de diálogo para que el lector sepa cuándo un personaje está hablando. Además, son una pista para que el lector se imagine que alguien habla.

El hombre dijo que tenía una idea brillante y los demás hicieron silencio para escuchar. Habló pausadamente.

Las palabras le salieron redondas. Parecían burbujas de luz.

—Y bien —dijo el hombre para terminar—. Yo puedo aportar mi tractor –concluyó.

—Y yo mi triciclo —siguió el heladero cuando se repuso de la sorpresa.

—Y yo un monopatín.

El tren más largo del mundo
Silvia Schujer • Ilustraciones de PEZ

Lee y descubre

Lee lo que escribió Lola. ¿Cómo usó ella el diálogo para mostrar lo que estaba sucediendo? Usa el control de escritura como ayuda.

¡Pásame el ketchup!
Lola J.

–¿Me puedes pasar el ketchup? –le pregunté a mi hermano.

–¿Qué harás tú por mí? –me preguntó él con su sonrisa boba.

Lee cómo mi papá resolvió la situación.

–Puesss... ¡nada! –le contesté con mi mejor sonrisa boba.

–Bueno, ya está bien. ¡Bruno, pásale el ketchup a tu hermana! –la paciencia de mi padre se había agotado.

Control de escritura

 ¿Usó la autora el **guión de diálogo** para indicar cuándo un personaje habla?

 ¿Distinguió la autora entre la narración y el diálogo usando guiones de diálogo?

☑ ¿Puedes saber con facilidad cuándo y dónde un personaje está hablando?

✓ **Repaso**

Sacar conclusiones
Problema y solución
Secuencia
Palabras con varios significados
Línea cronológica

La Copa del Mundo trae problemas

Copa del Mundo

Fabio estaba preparado para ver el partido de la Copa del Mundo. Jugaba su equipo favorito, Brasil. Fabio acababa de sentarse cuando su papá lo llamó: —Fabio, ven aquí, por favor.

—¡Pero papá, el partido de la Copa del Mundo está comenzando! —gritó Fabio.

—Ya lo sé —dijo el señor Silva—, pero aún así tú tienes trabajo que hacer en casa.

¿Trabajar mientras se jugaba el gran partido? Fabio no quería hacerle caso a su padre, él quería ver el partido. Decidió que si hacía el trabajo rápidamente, tendría tiempo de ver casi todo el partido.

—¿Qué quieres que haga papá? —preguntó Fabio.

—Para empezar, puedes limpiar tu cuarto —dijo el señor Silva.

—De acuerdo —dijo Fabio. Se sintió aliviado porque sabía que podía hacer esa tarea rápidamente.

Fabio puso la ropa en el cesto, colocó los libros en el estante y ordenó sus zapatos. A los 20 minutos, su cuarto estaba más o menos ordenado.

—¡Ya he terminado papá! —gritó Fabio y fue corriendo al otro cuarto para encender la televisión.

—Perfecto —dijo el señor Silva—, ahora puedes ayudarme en el patio.

Fabio suspiró. Sabía que esa tarea podía ocuparles el resto del día.

—¡Papá, nos vamos a perder todo el partido!

—Esto es más importante —dijo el señor Silva. Su papá le dio a Fabio unos guantes y unas bolsas de basura y le pidió que empezara a limpiar.

—Papá, yo creía que te gustaba mucho ver el partido de la Copa del Mundo —dijo Fabio.

—Sí, me gusta —dijo el señor Silva—, pero hay que hacer el trabajo mientras es de día.

Después de unas horas de duro trabajo, el señor Silva anunció que era hora de descansar. Fabio estaba triste porque se había perdido todo el partido. Apenas habló mientras su papá le preparaba un bocadillo.

—Fabio, ya sé que querías ver el partido —dijo el señor Silva—. Y te agradezco que hayas elegido ayudarme en lugar de verlo.

—No estoy seguro de que tuviera elección papá —contestó Fabio.

—Siempre es posible elegir lo que no se debe —explicó su papá—, pero no lo has hecho. Y ahora te tengo una sorpresa. Grabé el partido mientras trabajábamos. ¿Lo vemos mientras comemos?

—¡Qué bueno! Esa sí es una buena elección —dijo Fabio riendo.

Susan B. Anthony

Pionera de la lucha por los derechos de la mujer

SUSAN B. ANTHONY nació en el seno de una familia cuáquera. Los cuáqueros creen en la justicia y en que todas las personas deben ser tratadas igual. A principios del siglo XIX, la mayoría de las niñas no recibían la misma educación que los niños. Sin embargo, los cuáqueros permitían que niñas y niños tuvieran la misma educación. En las reuniones religiosas, tanto las niñas como los niños cuáqueros podían expresarse. Y las mujeres podían votar en asuntos relacionados con la iglesia.

Cuando Susan B. Anthony conoció a Elizabeth Cady Stanton se hicieron muy amigas. Las dos fueron líderes del movimiento por el sufragio femenino. El movimiento sufragista trabajaba para que las mujeres tuvieran derecho a votar. Anthony y Stanton formaban un buen equipo. Su objetivo era cambiar la Constitución de Estados Unidos para que las mujeres pudieran votar.

¡Las mujeres pueden votar!

Esta línea cronológica muestra fechas importantes en la vida de Susan B. Anthony y del movimiento por el sufragio femenino.

Nace Susan B. Anthony el 15 de febrero		Es arrestada por votar		Conoce al presidente Theodore Roosevelt
1820	**1851**	**1872**	**1881**	**1905**
	Conoce a Elizabeth Cady Stanton		Escribe un libro sobre los derechos de la mujer	

¡Vota!

En 1872, Anthony llevó a 15 mujeres a votar en las elecciones nacionales. Susan fue arrestada. En el juicio, el juez dijo que Anthony no tenía derecho a votar. Ella se negó a pagar la multa de 100 dólares.

Durante toda su vida, Anthony trabajó para lograr el voto para la mujer. Viajó mucho por todo el país y dio discursos explicando la importancia de los derechos de la mujer. A lo largo de su vida Anthony publicó varios periódicos y, junto con Elizabeth Stanton y Matilda Gage, escribió un libro sobre el movimiento sufragista.

Susan B. Anthony murió en 1906. Por fin, en 1920, se aprobó la Decimonovena Enmienda. Esta enmienda daba a las mujeres el derecho al voto. Esta enmienda también se conoce como la Enmienda de Susan B. Anthony en reconocimiento a la labor de esta mujer.

1906	1920	1920	1978
	Se aprueba la Decimonovena Enmienda		Se crea una moneda de dólar con la imagen de Susan B. Anthony
Muere el 13 de marzo		Más de ocho millones de mujeres votan	

Estudio de las palabras

Caza de similares

- Los **sinónimos** son dos palabras que tienen significados iguales o parecidos. *Ahora* y *ya*, *frío* y *helado*, y *grande* y *enorme* son ejemplos de sinónimos.

- En *El prado del tío Pedro* al principio del cuento, el prado era un lugar muy *fértil*. Escribe un sinónimo para describir cómo se ve un prado fértil.

- Vuelve a leer rápidamente los cuentos que leyeron en esta unidad. Halla ejemplos de sinónimos. Aquí hay una pista: Mira las páginas 52 y 56. ¿Qué sinónimos de verbos puedes hallar en estas dos páginas? Haz una lista.

Estudio de las palabras

Hasta la tercera, A-B-C

- Al escribir las palabras en **orden alfabético**, recuerda que si las dos primeras letras son iguales, debes mirar la tercera.

- Escribe estas palabras en una hoja: *talle*, *tapa*, *tabla*, *talco*, *tacón*. Encierra en un círculo la tercera letra. Luego escribe la lista de palabras en orden alfabético.

- Usa un diccionario para crear una lista de palabras en las que las dos primeras letras sean iguales, pero la tercera sea diferente. Escribe cada palabra en una tarjeta. Entrega las tarjetas a un compañero o compañera y pídele que las coloque en orden alfabético. Revisa el trabajo de tu compañero o compañera.

Género

Y el tema del mito es...

- El **tema** es el mensaje que un autor desea transmitir a los lectores. En los mitos, el tema no siempre está expresado. A veces, debes parafrasear, o decir el mensaje del autor con tus propias palabras.

- En el mito "Aracne la tejedora", el autor enseña una lección acerca del orgullo y de ser presumido. Parafrasea el tema de este mito. ¿Qué detalles respaldan el tema?

- Halla un mito en la biblioteca de la clase. Lee la historia a un compañero o compañera. Trabajen juntos para parafrasear el tema o el mensaje del mito. Hallen los detalles que los ayudaron a identificar el tema.

Comprensión

Todo gira a mi alrededor

- Las **autobiografías** son historias que escriben las personas acerca de sí mismas. Las **biografías** son escritas por otros.

- Lee la biografía de Susan B. Anthony en la página 150. En el texto se usan palabras, como *ella* y *su*. ¿Si Susan Anthony escribiera acerca de su propia vida, en qué se diferenciaría su autobiografía?

- Investiga y vuelve a leer una autobiografía y una biografía de la misma persona. Compara ambas historias.

La gran pregunta

¿Qué hace que algunos animales sean especiales?

Busca información sobre animales asombrosos en **www.macmillanmh.com.**

¿Qué hace que algunos animales sean especiales?

Cada animal tiene cualidades especiales que lo ayudan a sobrevivir. Algunos animales, como los pingüinos, tienen cuerpos especiales que los protegen en su entorno. En el caso de otros animales, como el ornitorrinco, ciertas partes de su cuerpo son muy especiales ya que le permite conseguir el tipo de comida que se encuentra en su entorno.

Durante largos periodos, los animales pueden adaptarse. Una adaptación ocurre cuando un animal cambia la forma o el color de su cuerpo, ajusta su manera de buscar o de comer cierto tipo de alimento, o cambia su modo de defenderse o de cuidar a sus crías.

Actividad de investigación

En esta unidad leerás sobre animales asombrosos. Piensa en un animal con una cualidad o una característica especial que te gustaría investigar. Haz una investigación para saber qué hace que ese animal sea especial. Escribe un informe sobre este animal.

Anota lo que aprendes

A medida que leas, anota lo que aprendas de algunos animales asombrosos. Usa el Boletín en acordeón para organizar tu información. En el primer pliegue a la izquierda, anota el tema de la unidad "Animales asombrosos". En cada pliegue, escribe lo que aprendas cada semana sobre diferentes animales.

MODELOS DE PAPEL®
Ayudas de estudio

Tema de la unidad | Semana 1 | Semana 2 | Semana 3 | Semana 4 | Semana 5

Taller de investigación

Haz la investigación de la Unidad 5 con:

Guía de investigación
Sigue esta guía paso a paso para completar tu proyecto de investigación.

Recursos en Internet
- Buscador por temas y otras herramientas de investigación
- Videos y excursiones virtuales
- Fotos y dibujos para presentaciones
- Artículos y recursos relacionados en Internet

Busca información en
www.macmillanmh.com.

TEXAS
Gente y lugares

Parque Estatal San Ángelo
Este parque es el hogar del ganado oficial Longhorn del estado de Texas. Los visitantes del parque, que está ubicado en San Ángelo, también pueden ver huellas de animales prehistóricos y arte rupestre de indígenas americanos.

Vida
antártica

A platicar

La Antártida es un lugar frío, helado. ¿Qué tienen de especial los animales que viven allí?

Busca información sobre la vida antártica en **www.macmillanmh.com**

Conéctate

159

✔ Vocabulario

nada	**arrastrar**
implacable	**apiñar**
azotar	**plumón**
eco	**joven**

✔ Diccionario

Los **homógrafos** son palabras que se escriben de igual manera pero tienen distinto significado. La palabra *nada* es un homógrafo. Usa el diccionario para hallar otro significado de *nada*.

Vida en la Antártida

Kenji Foster

El lugar más frío y helado de la Tierra es la Antártida. Allí las temperaturas difícilmente alcanzan cero grado, incluso en verano. **Nada** parece habitarla. Es increíble que algunas especies puedan vivir en esta tierra helada.

Plantas

En los meses más fríos, un **implacable** viento **azota** la Antártida. Estos fuertes vientos hacen que el aire sea tan frío que prácticamente no llueve. Las únicas especies que sobreviven en la Antártida son plantas simples sin hojas, como el musgo y los líquenes. Estas plantas crecen sobre rocas cerca de la costa donde hace menos frío.

Aves marinas

Pingüinos, gaviotines antárticos y escúas pardos son tres especies de aves que viven en la Antártida. Si se presta atención, se puede escuchar el **eco** del canto de los pingüinos que rebota sobre la tierra helada y se repite suavemente. El pingüino camina **arrastrando** sus patas y **nada** muy rápido. Todos se reúnen y se **apiñan** para mantenerse calientes. Los nuevos polluelos están cubiertos de una capa de plumas suaves y esponjosas llamada **plumón**. A medida que crecen y se hacen **jóvenes** pingüinos, les salen plumas impermeables y rígidas. Mientras que los pingüinos viven en la Antártida todo el año, los gaviotines y los escúas pardos sólo llegan en verano.

Focas y ballenas

Las ballenas azules, las jorobadas y las francas australes también pasan el verano en la Antártida. Tienen abundante grasa para mantenerse calientes. Las focas leopardo, las de Ross, las de Weddell y las cangrejeras dependen de su gruesa piel para conservar el calor. Las focas cangrejeras se desplazan bien sobre la tierra, pero las otras son mucho más ágiles en el agua helada.

Volver a leer para **comprender**

 Resumir

Idea principal y detalles

La **idea principal** es el punto más importante que el autor expone sobre ese tema. Los **detalles** describen la idea principal.

La tabla de la idea principal te ayuda a resumir un párrafo o parte del texto. Vuelve a leer la selección para hallar la idea principal y los detalles que la apoyan.

Idea principal	Detalles

Comprensión

Género

Una narración de **no ficción** es un cuento sobre situaciones reales.

Resumir

Idea principal y detalles
Mientras lees, usa tu tabla de idea principal.

Idea principal	Detalles

Lee para descubrir

¿Cómo cuida el papá pingüino a su polluelo?

Polluelo de pingüino

Betty Tatham
ilustraciones de Helen K. Davie

Selección premiada

El viento **implacable** ruge. La nieve **azota** la tierra helada. Aquí, una hembra de pingüino emperador ha puesto su huevo. Es el único huevo que pondrá este año.

163

La mayoría de las aves hacen nidos para sus huevos. Pero en la fría Antártida no hay ramas ni hojas. No hay hierba ni barro. **Nada** con que construir un nido. Nada, excepto nieve y hielo.

El nuevo papá pingüino usa su pico para poner el huevo entre sus patas con membranas.

Lo pone debajo de su piel cubierta de plumas, en un lugar especial llamado bolsillo incubador. El huevo estará tan cómodo y abrigado como si estuviera en una bolsa de dormir.

Uno de los padres pingüino debe quedarse con el huevo para mantenerlo caliente. Pero en la pingüinera, donde los pingüinos ponen huevos, no hay nada para comer.

El papá pingüino es más grande y gordo que la madre. Puede vivir más tiempo sin comida. Por eso, el papá pingüino se queda con el huevo mientras la mamá va al mar a buscar comida.

Los dos padres cantan juntos antes de que la mamá pingüino se vaya.

Junto a muchas otras, la mamá pingüino abandona el lugar donde puso su huevo.

La madre camina o se desliza sobre su panza, como si se deslizara en un tobogán. Usa sus aletas y sus patas con membranas para impulsarse sobre el hielo y la nieve.

Idea principal y detalles
¿Cuál es la idea principal del primer párrafo?

Como es invierno en la Antártida, hay muchas millas de agua congelada cerca de la costa. Después de tres días la mamá pingüino llega al final del hielo, al mar.

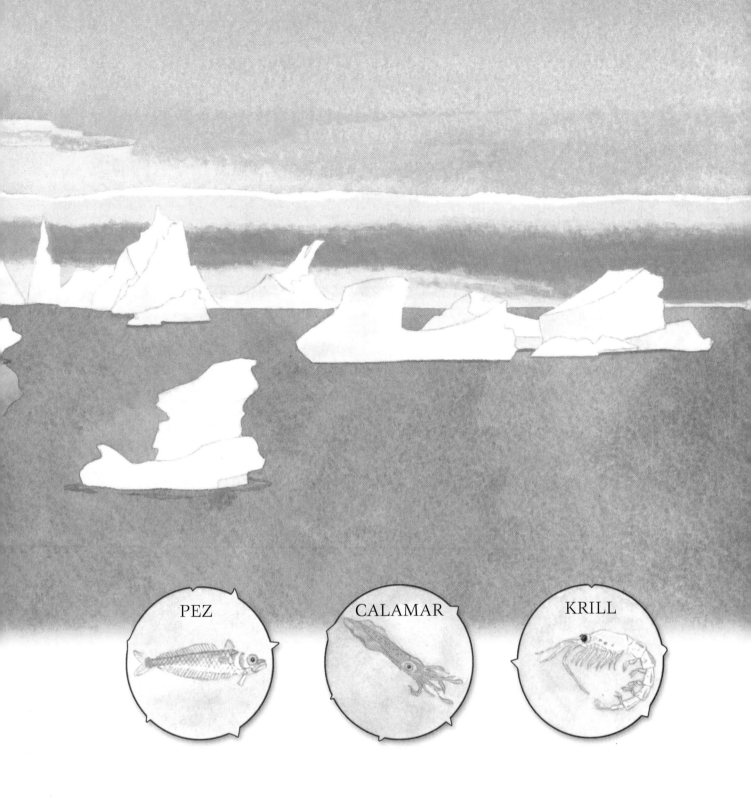

PEZ

CALAMAR

KRILL

Ella se lanza al agua para atrapar peces,
calamares y una especie de camarones diminutos
llamados krill.

En la pingüinera, los papás se **apiñan** para formar un grupo. Se paran muy juntos para obtener calor. Cada uno mantiene caliente su propio huevo.

Idea principal y detalles
¿Cuál es la idea principal de este párrafo?

Durante dos meses el papá pingüino mantiene el huevo entre sus patas. Cuando camina, **arrastra** las patas para que el huevo no se le caiga. Duerme parado. No come, pero la grasa de su cuerpo lo mantiene vivo.

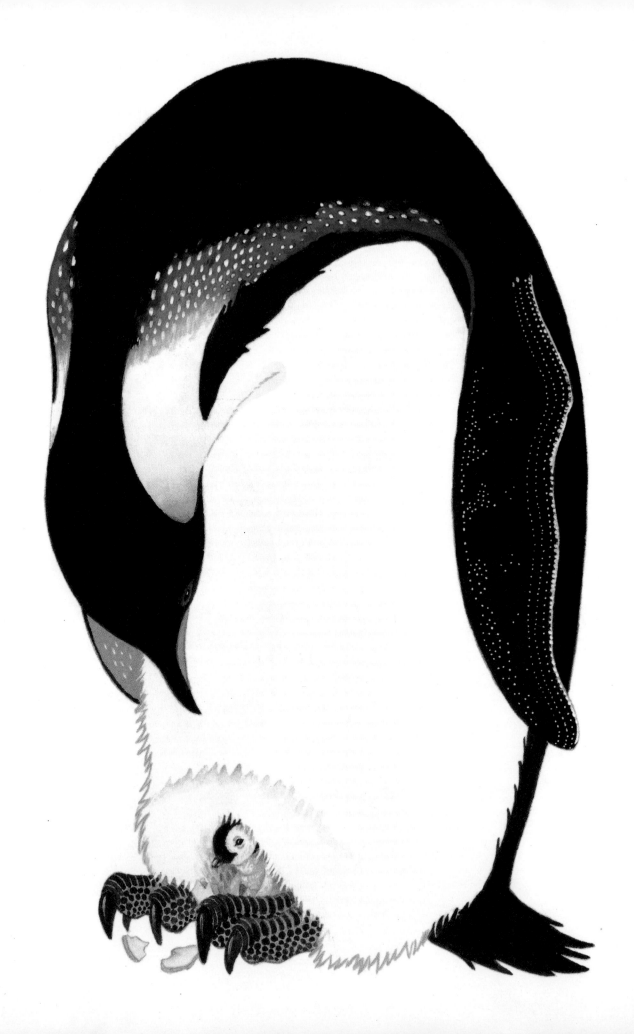

Finalmente siente que el polluelo se mueve dentro del huevo. El polluelo picotea y picotea. En unos tres días el huevo se rompe.

El polluelo está mojado. Pero pronto su suave plumaje, llamado **plumón**, se seca y se vuelve esponjoso y gris. El papá sigue manteniendo caliente al polluelo en el bolsillo incubador. A veces el polluelo asoma la cabeza. Pero mientras es pequeño, debe estar cubierto. Y debe permanecer en los pies de su papá. De lo contrario, el frío lo mataría.

El papá le habla al polluelo con su voz de trompeta. El polluelo le contesta con un silbido.

El llamado de su papá hace **eco** a través de los hielos, como una trompeta. La mamá pingüino está en camino hacia la pingüinera, pero no lo puede escuchar. Aún está muy lejos. Si la mamá no vuelve pronto con comida, el polluelo morirá.

Dos días pasan antes de que la madre pueda oír el llamado del papá pingüino.

Finalmente la mamá llega a la pingüinera. Se acerca a su polluelo y le habla con su voz de trompeta. Él le responde con un silbido. Con su pico, ella le peina el suave plumón gris.

La mamá comió muchos peces antes de salir del mar. Los vuelve a traer a su boca desde su estómago y alimenta a su polluelo. Tiene comida suficiente para varias semanas. El polluelo se queda sobre las patas de ella y se acomoda en el bolsillo incubador.

Como su papá tiene mucha hambre, se va al mar. Allí se lanza y **nada** para buscar comida. Unas semanas después, el papá vuelve con más comida para el polluelo.

Cada día los padres arreglan o peinan el suave plumón del polluelo con sus picos. Esto lo mantiene esponjoso y conserva caliente al polluelo.

A medida que el polluelo crece, él y otros polluelos ya no necesitan quedarse en las patas de sus papás. Ahora los polluelos permanecen juntos para mantenerse calientes.

A este grupo de polluelos se le llama guardería. El polluelo pasa la mayor parte de su tiempo aquí. Pero aún corre hacia su mamá o su papá para ser alimentado cuando uno de los dos vuelve del océano.

A veces los polluelos de pingüino clavan sus picos en el hielo para poder subir una colina resbaladiza. Se deslizan rápidamente hacia abajo sobre sus esponjosas panzas.

El polluelo crece y crece. Después de cinco meses, se ha vuelto un **joven** pingüino. Tiene edad suficiente para ir al océano.

INVIERNO		PRIMAVERA	
Agosto	Septiembre	Octubre

Ahora tiene un abrigo de plumas impermeables, en lugar de su plumón esponjoso. Puede nadar en las aguas oceánicas heladas porque sus plumas lo mantienen seco y caliente.

		VERANO
Noviembre	Diciembre	Enero

El joven pingüino pasa la mayor parte del tiempo en el agua. Nada, mueve sus aletas como si volara bajo el agua. Usa sus patas con membrana para ir a cualquier parte.

Atrapa un pez con su pico y se lo traga, pasando primero la cabeza por su garganta.

Ahora el joven pingüino puede conseguir su propia comida y cuidarse solo. En unos cinco años encontrará una pareja. Después cuidará su propio huevo hasta que el polluelo salga del cascarón.

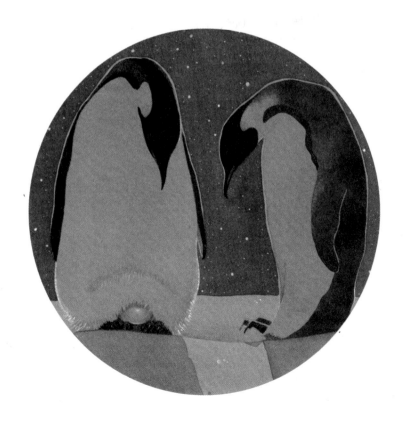

De la autora e ilustradora...

Autora

A **Betty Tatham** le gusta escribir libros de no ficción para niños sobre animales. Se interesó en la escritura después de muchos años de enseñar a los niños a disfrutar de la naturaleza y a escribir sus propios cuentos. Betty trabaja mucho para ser escritora. Ha tomado clases de escritura y ha participado en conferencias especiales para escritores.

© Alex Lowy.

Ilustradora

Helen K. Davie tiene fríos recuerdos de su trabajo para este cuento. Fue a Sea World en San Diego y pasó mucho tiempo en el hábitat helado de los pingüinos emperador. Así Helen tuvo un contacto muy cercano con las aves, lo que le permitió dibujarlas mejor.

Propósito de la autora

Los autores de no ficción generalmente escriben para informar o persuadir. ¿Qué pistas te ayudan a entender con qué propósito escribió Betty Tatham?

Busca información sobre Betty Tatham y Helen K. Davie en **www.macmillanmh.com**

Pensamiento crítico

Resumir

Usa tu tabla de idea principal
para resumir *Polluelo de pingüino*.
Incluye las ideas más importantes
y los detalles sobre la vida de un
polluelo de pingüino.

Idea principal	Detalles

Pensar y comparar

1. Describe la Antártida. Da **detalles** de por qué es difícil
   para los polluelos de pingüino sobrevivir en este lugar
   tan **implacable**. **Resumir: Idea principal y detalles**

2. ¿Qué le pasaría al polluelo si los padres pingüinos
   fueran a buscar comida al mismo tiempo? **Sintetizar**

3. Los pingüinos emperador trabajan en equipo. Comenta
   cómo trabajas tú como miembro de un equipo. **Aplicar**

4. ¿En qué se parece el comportamiento de
   los pingüinos emperador al de otros
   animales y sus crías? **Evaluar**

5. ¿Qué idea principal tienen en común "Vida
   en la Antártida" y *Polluelo de pingüino*?
   Usa detalles para apoyar tu respuesta.
   Leer/Escribir para comparar textos

Poesía

La **poesía** usa elementos como la rima, el ritmo y la repetición para expresar sentimientos e ideas.

Elementos literarios

Los **patrones rítmicos** son series de sílabas con acento y sin acento.

La **imaginería** es el uso de palabras para recrear una imagen en la mente del lector.

En el fondo del planeta
hay una tierra de hielo y granito:
¡An · tár · ti · da! ¡An · tár · ti · da!
donde en invierno la jornada
es noche-tártida.
Es el continente de nuestra creación;
el lugar más frío en que vive
la civilización:
¡An · tár · ti · da! ¡An · tár · ti · da!
Es mejor usar una buena
chaque-tártida,

Si se divide "Antártida" en sílabas y se repiten una y otra vez, se crea un patrón rítmico en el poema.

o los brutales y fulminantes
vendavales
te congelarán el pico y
las plumas por partes iguales.
¡An · tár · ti · da! ¡An · tár · ti · da!
¡Ven de visita volando en
un ave-tártida!
Nos acurrucaremos en la nevada
cuando no tengamos frazada.
¡An · tár · ti · da! ¡An · tár · ti · da!
Es más grande que
Nueva York-tártida.
Icebergs como rascacielos
vagabundean,
como visitantes en la aldea
que es nuestra dulce y
antártica chimenea.

Judy Sierra

Esta línea usa la imaginería al representar un iceberg tan grande como un rascacielos.

Pensamiento crítico

1. ¿Qué palabras ayudan a formar una imagen de la Antártida en este poema? **Imaginería**

2. Un himno es la canción oficial de un país o lugar. ¿En qué se parecen las palabras de "Himno antártico" a una canción? **Evaluar**

3. Compara "Himno antártico" con *Polluelo de pingüino*. ¿Cuál selección te da más información sobre la vida en la Antártida? Explica. **Leer/Escribir para comparar textos**

Busca información sobre himnos en
www.macmillanmh.com

Escritura

Orden cronológico

Los buenos escritores usan el **orden cronológico** para mostrar los sucesos en el orden en que ocurren.

Lee el siguiente pasaje. Observa cómo la autora Betty Tatham nos muestra lo que ocurre después de que nace el polluelo.

Pasaje de
Polluelo de pingüino

La autora nos cuenta cómo el plumaje se hace esponjoso y lo que hace el polluelo para no morirse de frío.

El polluelo está mojado. Pero pronto su suave plumaje, llamado plumón, se seca y se vuelve esponjoso y gris. El papá sigue manteniendo caliente al polluelo en el bolsillo incubador. A veces el polluelo asoma la cabeza. Pero mientras es pequeño, debe estar cubierto. Y debe permanecer en los pies de su papá. De lo contrario, el frío lo mataría.

Polluelo de pingüino

Lee y descubre

Lee lo que escribió Alexandra. ¿Cómo ordenó ella los sucesos para mostrar exactamente lo que estaba pasando? Usa el control de escritura como ayuda.

Boliche

Alexandra P.

Agarré una bola rosa y su peso hizo que me tambaleara. Sujeté la bola y me concentré en las líneas que tenía delante para intentar que la bola fuera derecha por el centro de la pista. Balanceé la bola entre las piernas y la solté. Rodó, rodó y empezó a derribar los bolos. ¡Bravo! ¡Había logrado un pleno!

Lee sobre mi experiencia en el boliche.

Control de escritura

✓ ¿Mostró la autora sus acciones en **orden cronológico**?

✓ ¿Incluyó la autora un principio, un desarrollo y un final?

☑ ¿Tienes la sensación de estar viendo lo que ocurría?

A platicar

¿En qué se parece el hogar de este animal a los hogares de las personas?

Conéctate

Busca información sobre hogares de animales en **www.macmillanmh.com**

ANIMALES ARQUITECTOS

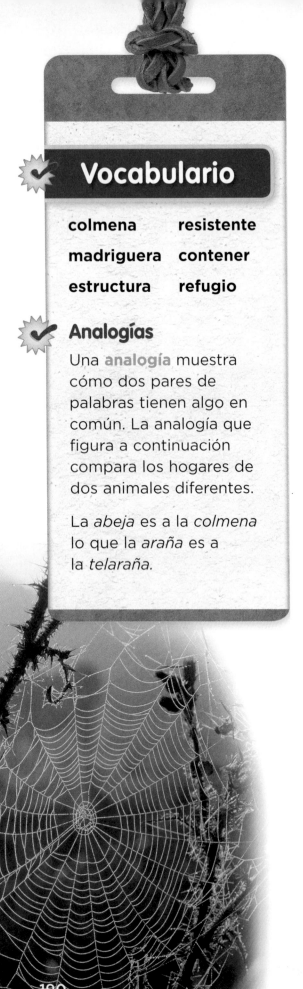

Vocabulario

colmena	resistente
madriguera	contener
estructura	refugio

Analogías

Una **analogía** muestra cómo dos pares de palabras tienen algo en común. La analogía que figura a continuación compara los hogares de dos animales diferentes.

La *abeja* es a la *colmena* lo que la *araña* es a la *telaraña*.

Tejedoras de telarañas

Steven Kutner

Así como las abejas construyen **colmenas** para vivir en ellas, las arañas tejen telarañas. Otros animales cavan **madrigueras**. Las arañas diseñan y construyen **estructuras** para vivir que son obras de arte. Estas estructuras también son trampas para otros insectos.

Tejido de seda

La telaraña está hecha de seda. Las arañas producen la seda en el abdomen. La glándula que produce la seda tiene muchos agujeritos. La seda pasa por los agujeritos para salir del cuerpo de la araña. Al contacto con el aire, la seda forma un hilo. Este hilo es muy fino pero muy **resistente**.

Las arañas pueden hacer distintos tipos de seda. Algunas **contienen** una sustancia que hace pegajosa la seda.

La araña teje un hilo detrás de ella dondequiera que va. Este hilo se llama filamento. Si un enemigo se acerca, la araña huye usando su filamento. Al poder retroceder sobre su propio filamento, ¡es como si tuviera su propia vía de escape!

Telarañas enredadas

Diferentes tipos de arañas construyen diferentes tipos de telarañas. La telaraña más simple se denomina tela de araña enredada. Simplemente, es un conjunto de hilos desordenados, enredados, adheridos a algo.

Las arañas reclusas

Algunas arañas se denominan arañas reclusas. Esto se debe a que generalmente tejen sus telarañas en sótanos o en otros lugares oscuros.

Tejedoras circulares

Las telarañas más comunes tienen forma de rueda. Estas telarañas están construidas por las llamadas tejedoras circulares. Puedes hallar estas telarañas en lugares al aire libre, como los espacios entre las ramas.

Arañas de agua

Las arañas de agua tejen sus telarañas en pequeños charcos o en otros lugares de aguas poco profundas. Esta telaraña se ve como un pequeño globo lleno de aire. La araña de agua alimenta y cría a su familia dentro de este **refugio** acogedor.

Volver a leer para **comprender**

 Resumir

Descripción

En un artículo, el autor describirá cada parte de un tema para organizar la información. Usa la **descripción** de cada parte del tema para resumir lo que has leído.

Un diagrama de descripción te ayuda a recordar los detalles de manera que puedas resumir el tema. Lee nuevamente "Tejedoras de telarañas" y anota los detalles de una descripción.

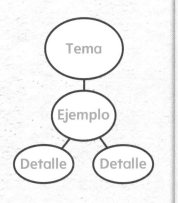

Tema

Ejemplo

Detalle   Detalle

Comprensión

Género

Un texto informativo de **no ficción** usa datos para dar una explicación detallada de cosas reales.

✔ Resumir

Descripción

Al leer, usa el diagrama.

Tema

Ejemplo

Detalle　Detalle

Lee para descubrir

¿En qué se parecen algunos hogares de animales a tu hogar?

Hogares de animales

Ann O. Squire

¿Por qué los animales necesitan un hogar?

Los animales necesitan un hogar por muchas razones parecidas a las del hombre. ¿Cuáles son algunas de esas razones? Comienza pensando en tu propio hogar y en las cosas que haces allí.

Algunos tipos de pingüinos construyen nidos para proteger sus crías.

Comer es una de las cosas más importantes que haces todos los días. Tu casa tiene una cocina donde guardas y preparas los alimentos. Algunos animales también guardan su alimento en sus hogares. Por ejemplo, las abejas viven en **colmenas** hechas de panales de cera. Cada panal tiene muchos cubículos, o celdas de seis lados donde las abejas guardan la miel.

Las celdas del panal también se usan como guarderías para las abejas jóvenes. Y esto también puede recordarte otra razón por la cual las personas y los animales necesitan un hogar. Ellos necesitan un lugar seguro para tener a sus crías. Los nidos de los pájaros, los montículos de los caimanes y las guaridas de los osos polares son otros tipos de hogares construidos para criar a una familia.

> **Descripción**
> ¿Cuáles son dos maneras en que las abejas utilizan sus colmenas?

▲ Otras celdas se utilizan como guardería para las larvas de abeja.

Las abejas guardan miel en ▶ algunas celdas de su colmena.

Una tortuga del desierto en su madriguera.

¿Acaso no es agradable entrar en un lugar cerrado en un día frío de invierno o encender el aire acondicionado en una calurosa y húmeda noche de verano? Ésta es otra razón por la cual necesitamos un hogar, para protegernos del clima.

La tortuga del desierto vive en las zonas secas del sudoeste de Estados Unidos, donde la temperatura suele ser mayor que 100 grados Fahrenheit (38 grados Celsius) en verano. Para evitar el calor, la tortuga hace un agujero poco profundo, o una **madriguera,** donde descansa durante las horas más calurosas del día.

En invierno, cuando las temperaturas se vuelven muy frías, la tortuga hace una madriguera mucho más profunda. Luego se mete adentro y pasa el invierno allí, hibernando con otras tortugas.

Las madrigueras subterráneas también dan a los animales un lugar para esconderse de sus enemigos. Por ejemplo, los perritos de la pradera hacen largas madrigueras con muchos espacios y túneles diferentes.

Los hogares de muchas personas tienen una puerta delantera, una puerta trasera y a veces también de un lado. La madriguera de un perrito de la pradera también tiene muchas entradas. Si un animal hambriento invade la madriguera por la entrada principal, los perritos de la pradera pueden escaparse por la salida trasera.

> **Descripción**
> ¿Cómo describirías una madriguera?

Un perrito de la pradera de pie junto a la entrada de su madriguera.

Un coyote intentando invadir la madriguera de un perrito de la pradera.

Algunos animales construyen hogares con propósitos más engañosos. Muchas arañas tejen telarañas principalmente para atrapar insectos.

Ahora que conoces algunas razones por las cuales los animales necesitan un hogar, vamos a descubrir algunos hogares inusuales de animales.

Un pájaro tejedor construye su nido.

Construir un hogar

Muchos animales construyen sus propios hogares. Estos animales arquitectos pueden ser pájaros, mamíferos, insectos y hasta peces.

El pájaro tejedor africano debe su nombre a la manera de construir su nido. El tejedor macho junta largas briznas de hierba, que amarra y teje formando un aro **resistente**. Luego le agrega más hierbas, formando una pelota hueca. Para mantener alejadas a las culebras que viven en los árboles, la pelota está abierta sólo en la parte inferior. Cuando termina el nido, el tejedor llama para atraer a las hembras cercanas. Si a la hembra le gusta el nido, se muda y los dos crían una familia.

◁ Una araña atrapa un insecto en su telaraña.

Las torres de las termitas tienen muchas habitaciones.

Algunos insectos también construyen sus hogares. Las pequeñas termitas africanas crean una de las **estructuras** más grandes y complejas del mundo animal.

Una torre de termitas puede ser tan alta como una jirafa y **contener** millones de termitas. Las paredes de la torre están hechas de una mezcla de tierra y saliva tan dura como la piedra. Contienen huecos de aire que mantienen la torre fresca aún bajo el sol ardiente.

La torre tiene muchas habitaciones especiales. Tiene una habitación grandiosa donde viven el rey y la reina de las termitas, habitaciones para las crías, otras para guardar los alimentos y hasta un jardín subterráneo. La mayoría de las termitas viven pocos años, pero una torre de termitas puede durar alrededor de un siglo.

Una torre de termitas en Ghana, África.

Los castores usan palos y lodo para construir un dique. Luego construyen su madriguera en el medio del estanque formado por el dique.

¿Alguna vez has escuchado decir que alguien está "tan ocupado como un castor"? Sabrías lo que quiere decir si vieras todo el trabajo que lleva construir una madriguera, el hogar de los castores.

Primero, los castores usan palos y lodo para hacer un dique en un arroyo. Luego el agua se mantiene detrás del dique y forma un estanque. En el centro del estanque, los castores construyen su madriguera. Parece sólo una pila de palos, pero la madriguera tiene una habitación a la que se llega por túneles debajo del agua. Los castores pueden ir y venir fácilmente, pero es casi imposible para los lobos y otros depredadores hallar la forma de entrar.

El cangrejo ermitaño halla su hogar en una concha de caracol vacía.

Hallar un hogar

Las abejas, los pájaros tejedores, las termitas y los castores trabajan mucho para construir sus hogares. Pero algunos animales eligen el camino más fácil: buscan hogares ya hechos.

A diferencia de otros cangrejos, el cangrejo ermitaño no tiene un caparazón duro que lo proteja. Necesita un lugar seguro para vivir, por lo tanto, busca una concha de caracol vacía. Cuando encuentra una concha que le queda bien, el cangrejo ermitaño se mete en ella. Permanece en la concha hasta que le queda pequeña. Luego, busca una concha más grande.

El cangrejo de los mejillones ni siquiera espera a que una concha esté vacía. ¡Este pequeño cangrejo se muda con el dueño! Se muda a la concha de un mejillón, almeja u ostra mientras el animal está vivo. A estos mariscos no les molesta que el cangrejito comparta su casa. Además, como estos animales filtran el alimento por sus branquias, el cangrejito atrapa pequeños trozos de alimento cuando pasan flotando.

Cangrejo de los mejillones.

Huevo blanco de tordo
en un nido con huevos
azules de Zorzal.

Pichón de tordo criado
por una canario de manglar.

El tordo es aún más atrevido. En lugar de construir su propio nido, la hembra de tordo busca otros pájaros que aniden en el bosque. Cuando ve una pareja anidando, se instala a esperar.

Tan pronto como los pájaros desprevenidos abandonan el nido, el tordo entra como una flecha y tira uno de los huevos. Luego, rápidamente pone uno de los suyos. Los pájaros que anidan nunca descubren la diferencia. Crían el pichón de tordo como si fuese propio.

Búhos llaneros ▶

En general las aves no viven bajo tierra, una excepción es el búho llanero. Estos búhos de patas largas a veces se mudan a madrigueras abandonadas de perritos de la pradera. Estas aves salen con el fresco de la noche para cazar roedores, sapos e insectos.

Hogares ambulantes

Una tortuga se protege al refugiarse en su caparazón.

La mayoría de las personas y de los animales viven en hogares que permanecen en un mismo lugar. Pero si alguna vez has viajado en una casa rodante o en un barco, sabes que algunos tipos de hogares pueden ir contigo de un lado a otro. ¿Sabías que algunos animales también viven en "hogares ambulantes"?

Las tortugas de tierra y las de agua se mueven despacio. Puedes pensar que sería fácil para cualquier animal atacarlas, pero las tortugas pueden refugiarse en sus hogares en un segundo, simplemente metiendo la cabeza y las patas dentro de su duro caparazón.

Tortugas sobre un tronco.

El caracol es otro animal que carga su casa en la espalda. Los caracoles necesitan humedad para sobrevivir. En un clima frío o seco, el caracol se refugia en su concha para evitar secarse.

Como las tortugas, los caracoles se refugian dentro de su concha.

Un tipo de oruga llamada oruga de bolsón hace su casa de ramitas tejidas unidas con seda. Esta oruga vive dentro de este estuche de seda y arrastra su **refugio** mientras se mueve de rama en rama alimentándose de hojas.

Una oruga de bolsón cuelga de un pino.

207

En casa con Ann

AUTORA

Ann O. Squire es una experta en el comportamiento de los animales. Antes de comenzar a escribir libros para niños, Ann estudió muchas clases diferentes de animales. Estudió desde las ratas hasta los peces eléctricos africanos.

Busca información sobre Ann O. Squire e
www.macmillanmh.c

Propósito de la autora

¿Cuál fue el propósito de la autora para escribir *Hogares de animales*? Explica cómo lo sabes.

✅ Pensamiento crítico

Resumir

Usa el diagrama de descripción para ayudarte a resumir *Hogares de animales*. Da algunas descripciones de estos hogares.

Tema

Ejemplo

Detalle   Detalle

Pensar y comparar

1. Elige un animal que tenga un hogar ambulante. Usa **detalles** del texto y tu diagrama de descripción para describir este animal y su **refugio**. Resumir: Descripción

2. Vuelve a leer las páginas 206 y 207 de *Hogares de animales.* Desde tu punto de vista, ¿qué es lo más práctico de tener un hogar ambulante? **Analizar**

3. ¿Qué hogar de los de esta historia te gustaría ver? **Sintetizar**

4. ¿Es importante para las personas aprender sobre los animales y sus hogares? ¿Por qué? **Evaluar**

5. Lee "Tejedoras de telarañas" en las páginas 190 y 191. Mira las ilustraciones en las dos selecciones que has leído. Compara las estructuras de las telarañas con la estructura del hogar de otro animal. Usa detalles de ambas selecciones en tu respuesta. **Leer/Escribir para comparar textos**

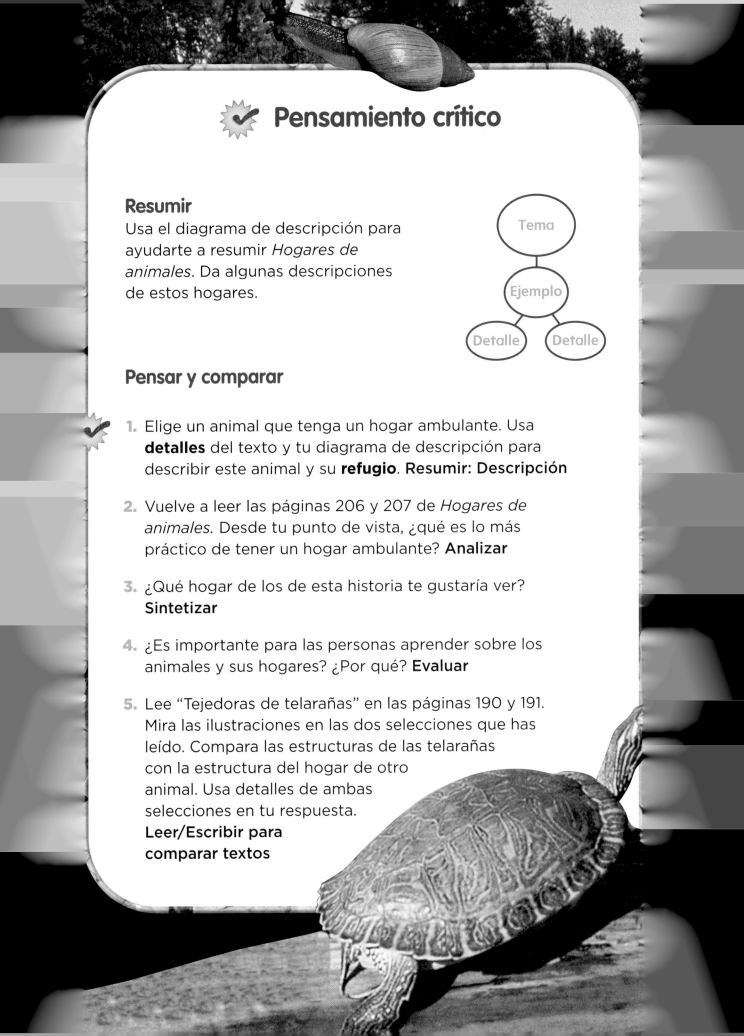

Mariposa

Federico García Lorca

Mariposa del aire,
qué hermosa eres,
mariposa del aire
dorada y verde.
Mariposa del aire,
¡quédate ahí, ahí, ahí!...
No te quieres parar,
pararte no quieres.
Mariposa del aire
dorada y verde.
Luz de candil,
mariposa del aire,
¡quédate ahí, ahí, ahí!...
¡Quédate ahí!
Mariposa, ¿estás ahí?

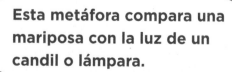

Esta metáfora compara una mariposa con la luz de un candil o lámpara.

La araña

José Juan Tablada

Recorriendo su tela
esta luna clarísima
tiene a la araña en vela.

En este poema, la palabra
tela rima con *vela*.

✔ Pensamiento crítico

1. ¿Por qué el autor compara la *luz de candil* con la mariposa?
   Metáfora

2. Vuelve a leer el poema "Mariposa". ¿Se repite un patrón
   rítmico? ¿Cuál es? **Evaluar**

3. ¿Qué palabras o frases ayudan a crear ritmo en los dos
   poemas? ¿Cuál de los dos poemas tiene más ritmo? Explica
   tu respuesta. **Leer/Escribir para comparar textos**

Busca información sobre poesía
en **www.macmillanmh.com**

211

Escritura

Orden cronológico

Poner los sucesos en **orden cronológico** ayuda a crear una imagen clara en la mente del lector.

Conexión: Lectura y escritura

Lee el siguiente pasaje. Observa cómo la autora Ann Squire muestra los sucesos en orden para darnos una imagen clara de lo que está sucediendo.

Pasaje de
Hogares de animales

Siguiendo el orden de los sucesos, la autora describe cómo el pájaro tejedor hace su nido.

El pájaro tejedor africano debe su nombre a la manera de construir su nido. El tejedor macho junta largas briznas de hierba, que amarra y teje formando un aro resistente. Luego le agrega más hierbas, formando una pelota hueca. Para mantener alejadas a las culebras que viven en los árboles, la pelota está abierta sólo en la parte inferior. Cuando termina el nido, el tejedor llama para atraer a las hembras cercanas. Si a la hembra le gusta el nido, se muda y los dos crían una familia.

Lee y descubre

Lee lo que escribió Kelsie. ¿Escribió Kelsie siguiendo un orden para mostrar lo que pasaba? Usa el control de escritura como ayuda.

El club
Kelsie W.

Mi amiga y yo construimos un lugar especial: Nuestro club. Llevamos cuerda, mantas, sábanas y almohadas a un lugar que elegimos en el patio. Atamos la cuerda a un árbol, la tiramos hasta otro árbol y luego allí atamos el extremo. Colgamos las mantas de la cuerda y pusimos las sábanas en el suelo.

Lee sobre nuestro club.

Control de escritura

✓ ¿Mostró la autora en **orden cronológico** los pasos que siguió para construir el club?

✓ ¿Incluyó la autora un principio, un desarrollo y un final?

☑ ¿Tienes la sensación de estar viendo lo que ocurría?

A platicar

¿Por qué los animales necesitan sobrevivir? ¿Por qué es importante que las personas compartamos el planeta con los animales?

Busca información sobre animales en
www.macmillanmh.com

Conéctate

Animales sorprendentes

¡Papá al rescate!

¡Papá al rescate! Un padre protege a su bebé de un babuino peleón.

Los científicos han descubierto que las mamás babuino tienen ayuda en el hogar. Los estudios muestran que los papás babuino también cuidan de sus pequeños. Los babuinos macho pueden identificar a sus crías por su aspecto y su olor.

Los babuinos macho tienen dientes filosos y pueden ser peligrosos. Sin embargo, Joan Silk, quien participó en un estudio sobre babuinos macho, descubrió que son cariñosos y cuidan a sus pequeños.

Si una cría de babuino se mete en problemas, el papá corre rápidamente en su ayuda. La ayuda de papá es **crucial** para proteger a las crías. Cuando papá está cerca, es menos probable que las crías sufran daños.

Joan Silk dice: "Siempre es divertido descubrir que los animales son más listos de lo que uno pensaba".

Especies en peligro

Los animales tienen que **adaptarse** a cambios en el medio ambiente. A veces, no pueden adaptarse con la rapidez necesaria para **sobrevivir**. Cuando disminuye la cantidad en una especie se dice que está en peligro de extinción. En California hay 111 especies de animales en peligro. Éstas son algunas:

Cóndor de California

Salmón plateado

Pelícano pardo de California

Culebra listonada de San Francisco

Salamandra delgada del desierto

Carnero cimarrón de California

Buscando ranas

Era justo pasada la medianoche cuando el zoólogo Stephen Richards oyó un extraño silbido y se dirigió hacia él.

Encontró la **fuente** del sonido. Era un "bulto marrón verrugoso". Al tomar con cuidado el bulto, Richards recibió un mordisco en la mano. Él dice: "Me quedé impresionado. Las ranas no suelen morder". Para Richards, ese comportamiento tan **impredecible** era emocionante. El mordisco, el extraño canto de la rana y su raro aspecto sólo podían significar una cosa: había descubierto una nueva especie.

La rana que mordió a Stephen Richards estaba en el bosque.

 Busca más información sobre animales en **www.macmillanmh.com**

217

LA LLAMADA DE LO SALVAJE

¿Cómo reaccionan los animales cuando cambia el medio en el que viven?

¿Has oído alguna vez el aullido de un coyote por la noche? Si la respuesta es sí, es posible que en tu zona vivan coyotes. Hoy en día, en casi todas partes hay coyotes, pero antes no era así. Los coyotes solían vivir sobre todo en los estados llamados las Grandes Llanuras.

¿Cómo se ha extendido la población de coyotes? Cada año se construyen más y más casas alrededor de las ciudades en la zona donde vive el coyote. Pero a los coyotes les gusta el campo abierto y se han ido alejando de sus zonas originales en busca de espacios abiertos. Los coyotes han tenido que **adaptarse** a vivir cerca de los humanos porque cada vez hay menos zonas abiertas.

Los coyotes están aprendiendo a vivir entre los humanos. Esto puede ser peligroso para los coyotes.

218

Adaptarse para sobrevivir

Cambiar es bueno. Al menos para los animales. Durante grandes periodos de tiempo, los animales deben cambiar a medida que cambia su medio. Estos cambios se llaman adaptaciones y pueden ser **cruciales** para la vida de los animales.

El zorro ártico, por ejemplo, vive varias adaptaciones en el frío del Ártico. Un pelaje blanco y espeso lo mantiene caliente. También le sirve para camuflarse en la nieve y el hielo. En verano, el pelaje del zorro cambia a color pardo. Sin la nieve, el terreno se vuelve oscuro y el pelaje pardo hace que el zorro sea difícil de ver. Estos cambios de color ayudan al zorro a esconderse de sus enemigos.

El pelaje del zorro del ártico es blanco en invierno. Así se camufla en la nieve.

Otro ejemplo de adaptación ocurrió en las Islas Galápagos, situadas en el océano Pacífico. Hace cientos de años, un tipo de pájaro llamado pinzón llegó volando a estas islas desde América del Sur. Los primeros pinzones, en las Islas Galápagos, tenían sólo un tipo de pico. Pero con el paso del tiempo, algunos pinzones desarrollaron picos de diferentes tamaños y formas. Con esos picos podían alimentarse de los distintos tipos de comida que había en las islas. Los pinzones con pico largo y

Los pinzones de Galápagos tienen distintos tipos de picos según el alimento que comen.

delgado pueden alimentarse de un cacto espinoso. Los que tienen un pico fuerte pueden abrir semillas duras. Gracias a estas adaptaciones, los pinzones siguen viviendo en las islas.

En busca de alimento

Así como el cuerpo de los animales se adapta, también puede hacerlo su comportamiento. Veamos a los coyotes, por ejemplo. Los coyotes suelen alimentarse de pájaros, roedores y pequeños mamíferos. Pero aquellos que viven cerca de los humanos comen frutas y verduras de los huertos de las casas. Se comen la comida que la gente pone afuera para sus perros o gatos. Incluso han aprendido a volcar los botes de basura en busca de restos de comida.

Animales descarados

Otros animales también están aprendiendo a vivir cerca de las personas. Los pavos salvajes han llegado a los patios de algunas casas suburbanas en Detroit, Michigan. Han encontrado una nueva **fuente** de alimento en los comederos para pájaros de los patios.

Los puercos salvajes o jabalíes han llegado en busca de comida hasta vecindarios de Phoenix, Arizona. Estos puercos normalmente viven en el desierto y se alimentan de plantas. Ahora se comen las plantas de los huertos de las casas.

Los osos negros rondan por los suburbios de Nueva Jersey. Le han tomado el gusto a la comida de la gente y han aprendido a conseguirla.

Algunos osos trepan altas cercas para llegar a los botes de basura. Luego lanzan la comida por encima de la cerca y vuelven a trepar hacia el otro lado. Después se marchan a toda prisa con la comida.

Este oso tiene hambre y busca comida en su nuevo "vecindario".

Vivir con calor

Otro cambio importante en el medio ambiente de los animales está causado por el calentamiento global. Algunos animales tienen que adaptarse al aumento de la temperatura en la Tierra. Algunas aves, peces y tortugas han cambiado sus patrones de migración. Algunos animales migran, o viajan, a lugares muy distantes cada año para reproducirse.

Las tortugas bobas se han adaptado al calentamiento global.

Por ejemplo, la tortuga boba y una pequeña ave llamada garcilla solían migrar al sur en invierno. Ahora esos lugares son demasiado calurosos para ellas. Estos animales ahora van a lugares más fríos, cerca de los polos norte y sur. En Inglaterra, algunas aves ya no migran al sur en invierno, se quedan allí todo el año.

Los científicos piensan que estas adaptaciones son buenas. Estos cambios permitirán a los animales vivir en un clima más cálido. Los cambios en el medio ambiente suelen ser **impredecibles**. Lo que es muy probable es que los animales que se adapten a esos cambios seguramente **sobrevivirán**.

✔ Pensamiento crítico

1. ¿Qué **causas** amenazan la vida de los animales?

2. Coyotes, osos y otros animales salvajes comparten espacios con las personas. ¿Crees que los animales deben ser trasladados a otro lado, o deben quedarse? Explica tu respuesta. Usa detalles del texto.

3. ¿Qué **efecto** tiene el calentamiento global en algunas aves y tortugas?

4. ¿Cómo ayuda el comportamiento de los padres babuinos a la conservación de su especie?

Un voto animal

Muestra lo que sabes

Contestar preguntas

El autor y yo

La respuesta no está directamente expresada. Piensa en lo que has leído para hallar la respuesta.

Este búfalo africano mira a la cámara. ¿Correrá la manada tras el fotógrafo?

Los búfalos africanos decidieron ir hacia el este. La decisión se tomó en silencio. Primero, algunos miembros de la manada miraron hacia el horizonte. Luego, otros también miraron, y todo el grupo se dirigió en esa dirección.

¿Cómo decidieron los búfalos hacia dónde ir? Los científicos creen que ¡por votación! Tim Roper es un científico de Inglaterra que hizo un estudio sobre cómo actúan los animales.

La mayoría de los grupos de animales tienen un líder. Antes, los científicos pensaban que cada grupo sencillamente seguía a su líder. Según este estudio, el reino animal es más democrático.

¿Cómo votan los animales? Depende del animal. El voto parece estar basado en el lenguaje corporal, en sonidos o en movimientos.

Los búfalos africanos van hacia donde miran las hembras. Los uapitíes se desplazan cuando las tres quintas partes de los adultos se levantan. Los cisnes cantores deciden cuándo volar, con los movimientos de la cabeza. Las abejas bailan para poner en marcha al enjambre.

Un uapití se levanta y observa si otros lo siguen. Luego todo el grupo se pone en marcha.

INSTRUCCIONES
Decide cuál es la mejor respuesta para cada pregunta.

1 **Este artículo trata principalmente de —**

- (A) cómo deciden los grupos de animales hacia dónde ir.
- (B) cómo deciden los búfalos africanos hacia dónde ir.
- (C) cómo dos científicos ingleses estudiaron a los animales.
- (D) cómo los grupos de animales juegan a imitar al líder.

2 **El estudio sobre animales de los párrafos 2 y 3 mostró a los científicos que —**

- (A) Los machos adultos de cualquier grupo de animales eligen la dirección.
- (B) Los grupos de animales votan sólo usando movimientos.
- (C) Si un grupo de animales vota, entonces es que no tiene líder.
- (D) El reino animal es como una democracia.

3 **¿Qué pasará si dos quintas partes de los uapitíes de un grupo se levantan?**

- (A) Los que se levantaron, se irán; el resto se quedará donde está.
- (B) El grupo se quedará donde está hasta que más uapitíes se levanten.
- (C) El resto esperará a ver si su líder se levanta.
- (D) El resto del grupo se levantará y empezarán a desplazarse.

4 **¿Cuál es el mejor resumen de la selección?**

- (A) Los búfalos africanos deciden como grupo hacia dónde ir. Al igual que los demás animales, estos búfalos siguen a un líder de un lugar a otro. Los científicos consideran que este comportamiento es fascinante.
- (B) Un estudio mostró que los animales dependen unos de otros para desplazarse hacia un lugar. La mayoría de los animales votan con movimientos o mirando en una dirección. Esto es muy interesante para las personas que estudian a los animales.
- (C) Los científicos descubrieron que la mayoría de los animales usan el lenguaje corporal y los sonidos para comunicarse. Los búfalos africanos, los uapitíes, las abejas y los cisnes cantores son ejemplos de animales que votan para decidir hacia dónde ir.
- (D) Muchos animales se desplazan en grupos. Cada grupo sigue a un líder de un lugar a otro. Los científicos intentan aprender más acerca de cómo deciden los animales hacia dónde ir. Los cisnes cantores votan moviendo la cabeza.

A escribir

A todos nos gusta lo que nos ayuda a hacer más fácil una tarea.

Piensa en algo que ayude a hacer tu vida más fácil.

Ahora escribe un relato sobre eso.

La escritura narrativa cuenta una experiencia personal o imaginada.

Para saber si las pautas te piden usar la escritura narrativa busca palabras clave, como escribe sobre, cuenta lo que pasó o escribe un relato

Lee el escrito de un estudiante que sigue las pautas de arriba:

La idea principal del tema nos dice de qué trata el texto.

El fin de semana pasado mi tío trajo a mi casa a Vito, su robot. Vito no parece una persona. Es sólo una pequeña máquina de metal con ruedas. ¡Pero qué máquina tan genial! Lo mejor de Vito es que aspiraba el polvo a medida que se movía.

Vito funciona como un coche teledirigido. Yo aprendí a dirigirlo. Pregunté si Vito podía ayudarme a limpiar mi cuarto, y con su ayuda, rápidamente lo hice. Yo recogí primero las cosas que había en el suelo mientras le iba diciendo cómo moverse. ¡Fue muy divertido!

Sugerencias para escribir

Sigue las instrucciones del recuadro. Escribe durante 12 minutos todo lo que puedas y lo mejor que puedas. Lee las pautas antes de escribir y revísalas cuando termines tu escrito.

Todos hemos tenido que adaptarnos a una situación nueva. Recuerda una vez en que hayas tenido que adaptarte a algo nuevo.

Ahora escribe un relato sobre esa experiencia.

Pautas para escribir

- ☑ Lee atentamente las pautas.
- ☑ Organiza tus ideas para planear el texto.
- ☑ Respalda tus ideas contando más detalles sobre cada hecho.
- ☑ Usa varios tipos de oraciones.
- ☑ Elige palabras que ayuden a los demás a entenderte.
- ☑ Revisa y corrige tu texto.

Pavos reales

A platicar

Los pavos reales son
aves exóticas. ¿Por qué
crees que llaman tanto la
atención?

Conéctate

Busca información sobre
pavos reales en
www.macmillanmh.com

Vocabulario

gala   colosal

abatido   pavonearse

desgarbado   amilanado

desmadejado

Diccionario

Las **palabras con varios significados** tienen más de un significado. Usa un diccionario para buscar los significados de la palabra *gala*.

Jara y la paloma torcaza

Taiga y Jano eran dos magníficos aguiluchos. Pasaban el día cazando para dar de comer a Jara, su única hija. Jano hacía **gala** de su velocidad; Taiga presumía de su fuerza. Ambos construyeron un nido en lo alto de un pino **colosal**, a salvo de comadrejas y otros ladrones del bosque. Una mañana de mayo, Jano y Taiga salieron a cazar palomas y dejaron sola a la pequeña Jara. De pronto, se desató una gran tormenta de primavera. Los truenos resonaban y empezaron a caer grandes gotas de agua.

"Ahora vendrán", pensó Jara, acurrucada en su nido. Pero Jano y Taiga no llegaban. La lluvia empezó a caer con fuerza. Jano y Taiga seguían sin llegar. Jara temblaba de frío. "¿Y si les ha pasado algo? ¿Y si los ha **abatido** un rayo?"

Al rato apareció una paloma torcaza que buscaba refugio entre las ramas. La orgullosa paloma se sacudió las plumas y empezó a **pavonearse**, como queriendo desafiar la tormenta.

De pronto vio al pequeño aguilucho, que tenía un aspecto triste y **desgarbado** con sus **desmadejadas** plumas.

—Eh, tú —dijo la paloma—. ¿Y tu mamá?

—No lo sé —respondió Jara, que no alcanzaba a ver a la paloma entre las ramas—. Salió a cazarme una paloma para el desayuno y todavía no ha vuelto.

—¿Una paloma? —dijo la torcaza **amilanada**.

El viento azotaba las ramas del pino con fuerza. Jara estaba cada vez más débil. Si Taiga y Jano no venían pronto, moriría de frío.

—Tranquilo, aguilucho. No tardarán en volver —dijo la paloma. Jara no contestó. Tenía sueño. Cerró los ojos.

La paloma saltó de rama en rama hasta el nido. Miró a Jara y se posó sobre ella, envolviéndola en su mullido pecho.

—¡Mamá, has llegado! —dijo Jara al notar su calor.

La paloma se quedó en silencio. Al pasar la tormenta voló a su nido. Allí encontró a sus hermosos pichones sanos y salvos. Junto a ellos, en el nido, había una pluma de aguilucho.

Volver a leer para **comprender**

Resumir

Comparar y contrastar

Para **comparar** dos o más personas, cosas o sucesos, tienes que buscar en qué se parecen. Para **contrastar**, tienes que buscar en qué se diferencian.

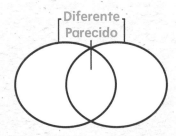

Diferente
Parecido

Un diagrama de Venn te ayuda a resumir lo que leíste para comparar y contrastar la información. Vuelve a leer el cuento, di en qué se parecen y en qué se diferencian Jara y la paloma torcaza.

Comprensión

Género
Un cuento de **fantasía** es una historia con personajes inventados que no puede suceder en la vida real.

Resumir
Comparar y contrastar
Al leer, usa tu diagrama de Venn.

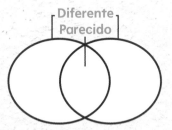

Diferente
Parecido

Lee para descubrir
¿Por qué el pavo real decide ir a la fiesta?

Autora premiada

El pavo que abría y cerraba la cola

Ana María Machado
ilustraciones de Ivone Ralha

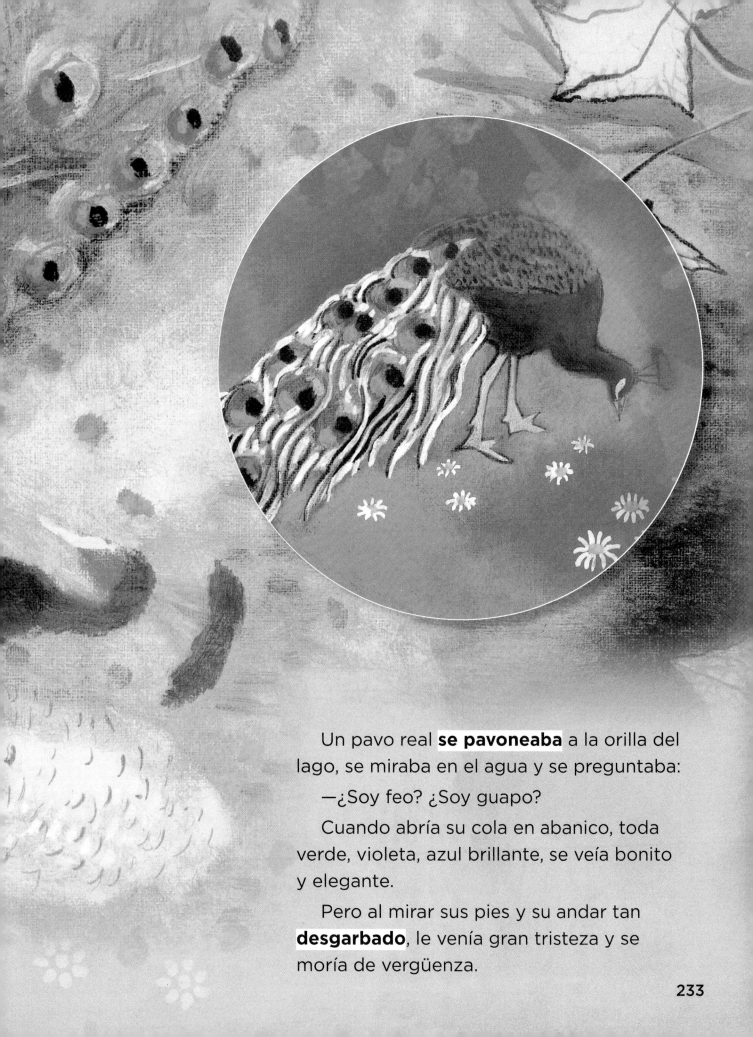

Un pavo real **se pavoneaba** a la orilla del lago, se miraba en el agua y se preguntaba:

—¿Soy feo? ¿Soy guapo?

Cuando abría su cola en abanico, toda verde, violeta, azul brillante, se veía bonito y elegante.

Pero al mirar sus pies y su andar tan **desgarbado**, le venía gran tristeza y se moría de vergüenza.

Un día, lo invitaron a una fiesta en el cielo, que seguramente iba a ser más sonada que la **gala** del sapo. Abrió la cola y se preguntó:

—¿Será divertida? ¿Será aburrida?

Siempre que necesitaba una opinión, se ponía así.

—Claro que será divertida —dijo la paloma mensajera—. Una fiesta nunca es aburrida.

Y él asintió.

Abrió la cola y se quedó pavoneando.

Después, ensayó unos pasos de baile.

Y oyó las carcajadas de un
cardenal bailarín que, justo a su lado,
se entrenaba para la gran fiesta.

—¡Qué animal más desmañado! Este
baile va a ser alocado...
Se quedó muy **abatido** y cerró la cola.

Entonces llegó un gorrión y así le habló:

—¿Por qué tanta tristeza en tu cabeza?

—Es que yo bailo muy mal...

—Eso no importa en tan hermoso animal.

Y el pavo real, así admirado, abrió la cola con plumas para todos los lados.

Pero, mal hecho, acabó perdiendo una en el rincón derecho.

La tristeza fue tremenda. Y se quedó de nuevo **amilanado**, con cara de pena horrenda.

Comparar y contrastar
¿En qué se parece y en qué se diferencia el pavo real del gorrión?

—¿Por qué tanto sufrimiento? —preguntó el periquito, que pasaba en ese momento.

—He perdido una pluma y eso es muy malo.

—No es tan malo, no creas. Es señal de que te va a crecer una nueva.

El pavo real volvió a animarse y abrió su abanico.

Entonces llegó el bienteveo y se rio en son de burla:

—¡Vaya pavo real, con cola tan incompleta!

Ya se sabe: el pavo real encogió la cola y trató de desaparecer con ella.

Y se pasó así toda la tarde: abría y cerraba, abría y cerraba, cambiando de idea con cada animal que encontraba.

Al final del día acabó bizco, con la lengua fuera, sudado, **desmadejado**, hecho un desastre y cansado de abrir y cerrar la cola a toda hora.

Decidió que ya no iría. Pero tampoco se iba a quedar allí para que todo el mundo se riese de él.

Vio un arbusto y se escondió detrás.
Entonces escuchó que del otro lado
conversaban:

—Tengo unas ganas de que llegue la hora
del baile... Esa fiesta va a ser fenomenal.

—¡Claro que sí! Buena comida, agua
fresquita, muchos amigos y música a rabiar...

Así que el pavo real se acercó a ver
quiénes creaban tanta animación. No
eran pájaros multicolores, no bailaban ni
cantaban ninguna canción.

Era una pareja de buitres.

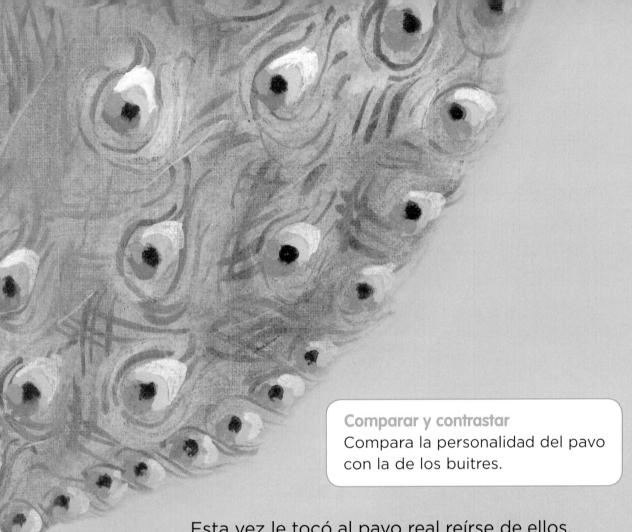

Comparar y contrastar
Compara la personalidad del pavo
con la de los buitres.

Esta vez le tocó al pavo real reírse de ellos, abriendo sus plumas verdes y azules, ya no tan triste.

—¿No les da vergüenza? ¿Feos como son y oliendo tan mal? Cuando bailen, todo el mundo se va a desmayar.

—Nada de eso... —respondió el buitre—. Todo el mundo va a estar muy ocupado tratando de comer y beber, de cantar y bailar, de verse y conversar. Y si alguien quiere, se puede reír. No por eso me voy a dejar de divertir.

Y la mujer buitre añadió:

—Y te digo más: ni feos ni malolientes, ¿te enteras? Los buitres somos bonitos, tenemos el color de la ciruela y el león, de la mora y la puesta de sol...

Y mientras el pavo real abría el pico y se asombraba, ella continuaba:

—Tú sí que eres un ave espantosa, con esa cola escandalosa, que se abre y se cierra como un cajón. Y ni siquiera eres de color marrón. Eres verde, eres morado, eres azul y estás lleno de bolitas...

Pero lo último que dijo lo hizo con una sonrisa maliciosa y picardía en los ojos:

—Pero debo reconocer que me encantan tus patitas... Y además, lo de ser bonito o feo sólo es cuestión de relleno.

Entonces el pavo real no pudo por menos que reír. Y una vez que los dos se fueron volando, él se quedó pensando:

"Que la fealdad sea **colosal** o la belleza sea de artista, no depende del animal, sino del punto de vista. Cada uno es diferente y lo que más importa es uno, realmente."

Y allá fue el pavo real, realmente animado, a una fiesta muy divertida. Menos mal. Si no, se habría quedado abriendo y cerrando la cola toda la vida.

De fiesta con Ana María e Ivone

Autora

Ana María Machado nació en São Paulo, Brasil, y estudió literatura en París. Escribe y da conferencias sobre libros, adora su trabajo. Le gustan la naturaleza en general, los animales, el mar y el sol. En el año 2000, recibió el premio Hans Christian Andersen, uno de los más importantes del mundo de la literatura infantil.

Otros libros de Ana María Machado

Ilustradora

Ivone Ralha es portuguesa. Ivone fue a un lugar de su infancia, el jardín de Cascais, en busca de los pavos reales para fijarse en ellos y dibujarlos. Dice: "Queridos amigos, disfruté llenando mis días con estos hermosos animales". Hoy día es diseñadora gráfica en un periódico.

Busca información sobre Ana María Machado en **www.macmillanmh.com**

Propósito de la autora

¿Qué pistas puedes hallar para saber el propósito de la autora? ¿Qué mensaje quiere hacer llegar al lector?

Pensamiento crítico

Resumir

Resume lo que sucede en *El pavo que abría y cerraba la cola*. Usa un diagrama de Venn para comparar y contrastar los personajes del cuento.

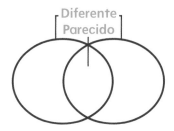

Pensar y comparar

1. Elige algún personaje del cuento. **Compara** y **contrasta** al pavo real con el animal que escogiste. **Resumir: Comparar y contrastar**

2. ¿Cómo cambia la vida del pavo real cuando se da cuenta de que la belleza no es tan importante como creía? **Sintetizar**

3. ¿Por qué se sentía **amilanado** el pavo real? **Aplicar**

4. ¿Qué quiere decir la autora cuando escribe que la belleza "no depende del animal, sino del punto de vista"? **Analizar**

5. Lee "Jara y la paloma torcaza" en las páginas 228 y 229. Compara ese cuento con *El pavo que abría y cerraba la cola*. ¿En qué se parecen y en qué se diferencian los animales de estas selecciones? Usa detalles de ambos cuentos en tu respuesta. **Leer/Escribir para comparar textos**

Género

Los artículos de **no ficción** dan información sobre personas, lugares o cosas reales.

Elementos del texto

Las **cursivas**, los **títulos** y los **tipos de letra resaltadas** o en **color** te permiten comprender la información importante del texto.

Palabras clave

ave de presa

otear

copla

cetrería

Cazadores del aire

Iñigo Javaloyes

En nuestros campos y bosques se producen batallas aéreas. Es la batalla de la supervivencia, en la que unas aves cazan a otras para dar de comer a sus crías. Son aves bellísimas como el halcón peregrino, el azor o el gavilán. Estos cazadores del aire, conocidos como **aves de presa**, se alimentan de palomas, perdices y otros pájaros, que suelen cazar en el aire a velocidades increíbles.

Azor

Ataque desde el aire

Cada tipo de ave de presa tiene una forma diferente de cazar. Los halcones peregrinos, por ejemplo, **otean** o miran desde el cielo a grandes alturas. Cuando ven una posible presa, se dejan caer en picada a velocidades de hasta 250 millas por hora. Muchas veces los halcones peregrinos cazan en parejas. Una pareja de halcones peregrinos cazadores se llama **copla**. Los halcones hacen sus nidos en acantilados o en laderas de montañas, y crían entre tres y cuatro polluelos cada primavera.

Halcón peregrino en pleno vuelo.

AVES EN PELIGRO

título

resaltadas

Usar elementos del texto

Estos elementos del texto te ayudan a comprender lo que lees.

Los halcones peregrinos estuvieron a punto de desaparecer a causa de un **insecticida**, o sustancia para matar insectos, llamado *DDT*. Desde que se prohibió usar esta sustancia, las poblaciones de halcones peregrinos empezaron a recuperarse. Esta especie ya no está en peligro de extinción.

cursiva

Ataque desde tierra

El azor y el gavilán son aves del bosque. En lugar de lanzarse desde el aire, se posan en una rama a esperar a que pase algún arrendajo o una paloma, dos de sus presas favoritas. Entonces, saltan batiendo sus alas cortas a gran velocidad.

Gracias a su larga cola, los azores y los gavilanes son capaces de hacer giros repentinos durante sus persecuciones. El azor es más grande que el gavilán, puede cazar presas de gran tamaño, como patos, conejos e incluso liebres.

Si alguna vez descubres un nido de azor, no intentes subirte: mamá azor creerá que vas a llevarte a sus crías y las defenderá.

Gavilán americano posado en un cactus.

Azor en vuelo.

254

Las aves de presa en la historia

La gente ha admirado la belleza de estas aves desde hace mucho tiempo. Los halcones aparecen en jeroglíficos del antiguo Egipto. La **cetrería** es la caza que se hace con aves de presa. Existen muchas pinturas de cetrería de siglos pasados. Los halcones eran los más usados en la cetrería.

Halcón en jeroglífico egipcio.

Pensamiento crítico

1. Fíjate en las palabras "Las aves de presa en la historia" de esta página. ¿Por qué crees que estas palabras tienen un tamaño y un color diferente? ¿Por qué los llamamos elementos del texto? **Usar elementos del texto**

2. Después de leer este artículo, ¿cuál es tu opinión sobre las aves de presa? **Evaluar**

3. Usa la información de este artículo para indicar en qué se diferencia un halcón real del personaje principal de *El pavo que abría y cerraba la cola*. **Leer/Escribir para comparar textos**

Ciencias

Investiga más sobre los halcones. Escribe un artículo para niños pequeños contando todo lo que has aprendido. Usa elementos del texto como cursivas, letras resaltadas, títulos o letras de color para destacar las partes importantes de tu artículo.

 Busca información sobre los aves de presa en **www.macmillanmh.com**

Escritura

Destacar un momento

Los buenos escritores usan muchos detalles para escribir sobre **momentos importantes** en sus textos.

Conexión: Lectura y escritura

Lee el siguiente pasaje. Observa cómo la autora Ana Maria Machado destaca un momento.

Pasaje de
El pavo que abría y cerraba la cola

La autora describe el momento al final del día en que el pavo queda muy cansado. Lo hace con tanto detalle que podemos imaginar exactamente cómo estaba el pavo.

Y se pasó así toda la tarde: abría y cerraba, abría y cerraba, cambiando de idea con cada animal que encontraba.

Al final del día acabó bizco, con la lengua fuera, sudado, desmadejado, hecho un desastre y cansado de abrir y cerrar la cola a toda hora.

Lee y descubre

Lee lo que escribió Miguel. ¿Cómo mostró Miguel lo que estaba ocurriendo exactamente en ese momento? Usa el control de escritura como ayuda.

Un partido de béisbol
Miguel T.

Me situé delante de los altos arbustos y coloqué el guante de béisbol sobre mis ojos para taparme del sol. El sudor me caía sobre los ojos mientras trataba de mirar la meta. Mi primo hizo un lanzamiento largo. Pensé que la pelota me pasaría por encima. Coloqué los pies y levanté el guante en el aire. La pelota entró en el guante.

Lee sobre un partido de béisbol.

Control de escritura

 ¿Describió el autor el **momento** cuando agarró la pelota?

 ¿Mostró el autor cómo una cosa hace que suceda otra cosa en ese momento?

 ¿Tienes la sensación de estar viendo lo que ocurría?

257

A platicar

¿Cómo nos ayudan los animales en nuestra vida diaria?

Conéctate

Busca información sobre animales que ayudan en **www.macmillanmh.com**

Los animales y la gente

Vocabulario

ansiar   robusto

atender   rústico

producir   generoso

✔ Partes de las palabras

Las **familias de palabras** son todas las palabras que comparten la misma palabra base y tienen cierta relación en su significado.

Por ejemplo: *producir, producto, productivo*

Familia armenia con una vaca.

Ayudar a la gente a ayudarse

Zoe Tomasi

En la década de 1930, Dan West era un agricultor en España. Era época de guerra y la gente pasaba hambre. Mientras West repartía vasos de leche a los niños, se le ocurrió una idea. "Lo que estos niños necesitan es una vaca." Así comenzó la organización Heifer International.

Envíen vacas

¿Son una bicicleta o un disco lindos regalos? Heifer International hace otro tipo de regalos. Sus regalos dicen "cuac" o "muuu". Dan West les pidió a sus amigos de Estados Unidos que regalaran *heifers*, o vacas jóvenes. Desde entonces, la organización ha regalado animales a millones de familias. Brinda a la gente la oportunidad de autoalimentarse.

Cadena de regalos

Heifer International desea que las personas que ellos ayudan, ayuden a otros. Para un proyecto en Asia, la organización envió pollos a un grupo de niños. Estos niños **ansiaban** el momento en que ellos mismos podrían ayudar a otros.

Julia, de 9 años, dijo: "Deseo que otras niñas, como yo, puedan cuidar pollos. Deseo compartir y regalar muchos pollos."

Julia sabía que tenía que **atender** sus pollos para que pudieran **producir** huevos y pollitos sanos. Los cuidó bien y tuvieron pollitos sanos y **robustos**. Después Julia, a su vez, regaló pollitos a otras familias.

Permitir que los niños aprendan

Gracias a Heifer International, los niños pueden ocuparse de ir a la escuela en lugar de hacer trabajos **rústicos**. Pueden utilizar el dinero que ganan con sus animales para pagar la escuela.

Por un **generoso** granjero llamado Dan West, Heifer International ha logrado cambiar la vida de la gente durante muchos años.

Esta niña cuida sus pollitos para que crezcan sanos.

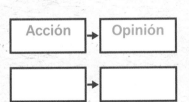

Volver a leer para **comprender**

 Verificar la comprensión

Opinar

Opinar es expresar tus ideas personales sobre algo. Puedes verificar tu comprensión de un cuento usando tus propias experiencias para opinar sobre la historia.

En un diagrama de opinión puedes dar tu opinión sobre las **acciones** de los personajes. Vuelve a leer la selección y di qué piensas sobre lo que hacen los personajes.

Acción	→	Opinión
	→	

Comprensión

Género
La **narrativa de no ficción** es un cuento que muestra los hechos sobre personas o situaciones reales.

Verificar la comprensión
Opinar

Mientras lees, usa tu diagrama de opinión.

Acción	→	Opinión
	→	

Lee para descubrir
¿Cómo logra ir a la escuela Beatriz?

La cabra de Beatriz

Page McBrier
ilustraciones de Lori Lohstoeter

Autora
premiada

Si fueras a visitar el pequeño pueblo africano de Kisinga en las colinas de Uganda occidental, y si doblaras a la izquierda en el cruce y siguieras un camino angosto de tierra entre dos altos bosques de plátanos, llegarías al hogar de una niña llamada Beatriz.

Beatriz vive aquí con su madre y cinco hermanos menores en una casa **robusta** de adobe con techo de acero. La casa es nueva. Y en su interior, también son nuevos los muebles de madera, de color azul brillante. En realidad, en estos últimos tiempos hay muchas cosas nuevas para Beatriz y su familia.

Y todo se debe a una cabra llamada Mugisa.

A Beatriz le encanta Mugisa… el tacto **rústico** de su pelaje marrón y blanco, cómo se riza la barba de su mentón y cómo Mugisa juega suavemente con ella, tocándole la mano con sus cuernos enroscados como el ritmo de un tambor en una canción.

Pero sobre todo hay una razón por la cual Beatriz adora a Mugisa.

Antes de que llegara Mugisa, Beatriz pasaba sus días ayudando a su madre a rastrillar y a sembrar en el campo, a **atender** los pollos, a cuidar a los niños más pequeños y a moler la harina que llevarían a vender al mercado.

De vez en cuando, cuando atendía a la bebé Paskavia, Beatriz pasaba por la escuela. A menudo, los estudiantes sacaban afuera sus largos bancos de madera para estudiar a la fresca sombra de los árboles. Entonces Beatriz se quedaba a un costado, en silencio, imaginándose que también era una estudiante.

¡Oh, cómo deseaba ir a la escuela! Cómo **ansiaba** sentarse en uno de esos bancos y hacer sumas en una pequeña pizarra. Cómo deseaba hojear un cuaderno gastado y estudiar cada palabra, una y otra vez, hasta que se quedara en su mente.

"Nunca podré ir a la escuela", suspiraba. "¿Cómo podré ahorrar suficiente dinero para pagar los libros o un uniforme?"

Un día, mientras Beatriz estaba ocupada sacando malezas, su mamá se acercó con los ojos llenos de entusiasmo. "Beatriz, una gente muy **generosa** de un lugar lejano nos ha hecho un regalo que nos traerá buena suerte. Somos una de las doce familias del pueblo en recibir una cabra."

Beatriz estaba sorprendida. ¿Una cabra? ¿Qué clase de regalo era una cabra? No podía levantarse a la mañana y encender el carbón para cocinar. No podía bajar al arroyo todas las semanas y fregar la ropa para lavarla. No podía cuidar a Grace, a Moses, a Harriet, a Joash ni a Paskavia.

Sus largos dedos tiraban pacientemente de la maleza.

—¡Qué bueno, mamá! —dijo amablemente.

—Ocuparse de nuestra cabra, será tu trabajo. Si lo haces, nos dará muchas cosas maravillosas —agregó la madre.

Beatriz levantó la vista hacia su madre.

—¿Esta cabra llegará pronto? —preguntó—. Porque me gustaría conocer a esa cabra.

—Las cosas buenas llevan tiempo. Primero debo plantar pasto y construirle un corral a la cabra —dijo la madre sonriéndose.

Beatriz asintió lentamente. Seguro mamá sabía lo que hacía.

—Te ayudaré —dijo.

En los meses siguientes, Beatriz trabajó más que nunca. Ayudaba a su madre a juntar los palos de madera para hacer el corral, luego los ataba con fibras de plátano. En los bordes de su campo plantó estrechas filas del duro pasto elefante, y entre los plátanos puso distintos árboles y enredaderas.

Opinar

¿Por qué crees que es importante que Beatriz ayude a su madre?

Finalmente, un día llegó la cabra de Beatriz, gordita y saludable como un mango maduro. Beatriz se paró junto a sus hermanos, se sentían tímidos, y luego ella dio un paso adelante y una vuelta alrededor de la cabra. Se arrodilló cerca, inspeccionando su redonda barriga, y pasó la mano por su suave lomo. "Mamá dice que eres nuestro regalo que nos traerá buena suerte," murmuró. "Así que así te llamaré: *Mugisa*... suerte."

Dos semanas después, Mugisa dio a luz. Fue Beatriz quien descubrió primero un cabrito y luego, para su sorpresa, otro. "¡Mellizos!," exclamó, agachándose para examinarlos. "¿Ves, Mugisa? Ya nos has dado *dos* cosas maravillosas." Beatriz llamó *Mulindwa* al primer cabrito, que significa esperado, y al segundo *Kihembo*, que significa sorpresa.

Todos los días Beatriz cuidaba que Mugisa comiera mucho pasto elefante y agua para ayudarla a **producir** mucha leche, aunque esto significara otro largo viaje de ida y vuelta hasta el arroyo.

Cuando los cabritos ya no necesitaron la leche de Mugisa, Beatriz la probó por primera vez. "Mmm, qué dulce", dijo, mezclando el resto en su taza de avena. Beatriz sabía que la leche de Mugisa los mantendría a todos mucho más sanos.

274

Ahora, todas las mañanas después del desayuno, Beatriz iba al corral para vender la leche que sobraba. "Abierta la venta", decía, por si acaso alguien la estuviera escuchando.

A menudo espiaba a su amigo Bunane, que venía por los bosques de plátanos.

"Buenos día, Beatriz, Mugisa, Esperado y Sorpresa", decía siempre Bunane. Luego le daba a Beatriz un balde para que lo llenara con la leche de Mugisa.

Cuando Beatriz terminaba de llenarlo, Bunane le daba una moneda brillante y Beatriz, cuidadosamente, guardaba el dinero en la pequeña bolsa tejida que llevaba de costado.

Día tras día, semana tras semana, Beatriz veía cómo su bolsa se llenaba. Pronto habría dinero suficiente para una nueva camisa para Moses y una cálida manta para la cama que compartía con Grace.

Opinar
¿Crees que es importante la ayuda de Mugisa para Beatriz y su familia?

Un día, Beatriz volvía de buscar agua y
notó que su madre fruncía el ceño y contaba
el dinero de su bolsa tejida. Beatriz puso en
el piso los recipientes de agua y corrió hacia
su madre.

—¡Mamá! ¿Qué sucede? —preguntó—.
¿Pasa algo malo?

Al levantar la vista, el ceño fruncido de su madre
se transformó en una pequeña sonrisa.

—Creo que quizás ya hayas ahorrado
lo suficiente como para pagar la escuela —dijo.

—¿La escuela? —Beatriz emitió un grito ahogado,
sin creerlo—. ¿Y las demás cosas que necesitamos?

—Primero lo primero —dijo su madre.

Beatriz abrazó a su madre.

—Oh, mamá, gracias.

Luego corrió donde estaba la cabra masticando
su alimento y la abrazó fuerte.

—¡Oh, Mugisa! —murmuró—. Hoy soy yo la que
tengo suerte. Me has dado el regalo que más deseaba.

Beatriz comenzó la escuela a la semana siguiente.
La primera mañana que tenía que asistir, se sentó
orgullosa con su blusa amarilla y su vestido azul
nuevo, al lado de Mugisa a esperar que vinieran los
clientes a comprar leche.

Beatriz estaba nerviosa y entusiasmada a la vez.
Mugisa se apretaba a ella, frotando suavemente
la mejilla de Beatriz con su pelo grueso.

—¡Oh, Mugisa! —gritó Beatriz—. ¡Hoy te voy
a extrañar!

Luego volvió a pensar en todas las cosas buenas
que estaba trayendo Mugisa. Su madre dijo que pronto
venderían a Sorpresa por mucho dinero.

—Vamos a tener suficiente para tirar abajo esta
vieja casa —le había explicado—, y podremos construir
una nueva con techo de acero, para que no gotee agua
cuando llueva.

Beatriz escuchó un ruido y notó que Bunane se
acercaba con el balde de leche vacío. Él vio su nuevo
uniforme y suspiró.

—Qué suerte tienes. A mí también me gustaría
poder ir a la escuela.

—Escuché que tu familia será la próxima en recibir
una cabra —le dijo Beatriz tocándole el brazo a Bunane.

—¿Cierto? —Una sonrisa cruzó la cara de Bunane.

—Cierto.

Luego Beatriz besó a Mugisa en la parte blandita de su hocico, cerca de donde se rizaba su barba y se dirigió hacia la escuela.

La historia de Page y Lori

AUTORA

PAGE MCBRIER tuvo la suerte de ir a Uganda y conocer a Beatriz. Ella y Lori Lohstoeter condujeron durante seis horas para llegar al pequeño pueblo donde vive Beatriz. Después de que Page terminó esta historia, volvió a visitar a Beatriz. Para entonces, Beatriz había terminado la escuela secundaria y estaba preparándose para la universidad.

ILUSTRADORA

LORI LOHSTOETER supo de Beatriz cuando conoció a un integrante de un grupo que ayuda a familias. Lori quería ilustrar un libro sobre Beatriz, pero necesitaba a alguien que escribiera el cuento. Lori le pidió a Page, y juntas fueron a África, conocieron a Beatriz y contaron su historia.

 Busca información sobre Page McBrier y Lori Lohstoeter en **www.macmillanmh.com**

✔ Propósito de la autora

Identifica el propósito de Page McBrier al escribir esta historia. Da detalles para definir si la autora quiso entretener, informar o persuadir a los lectores.

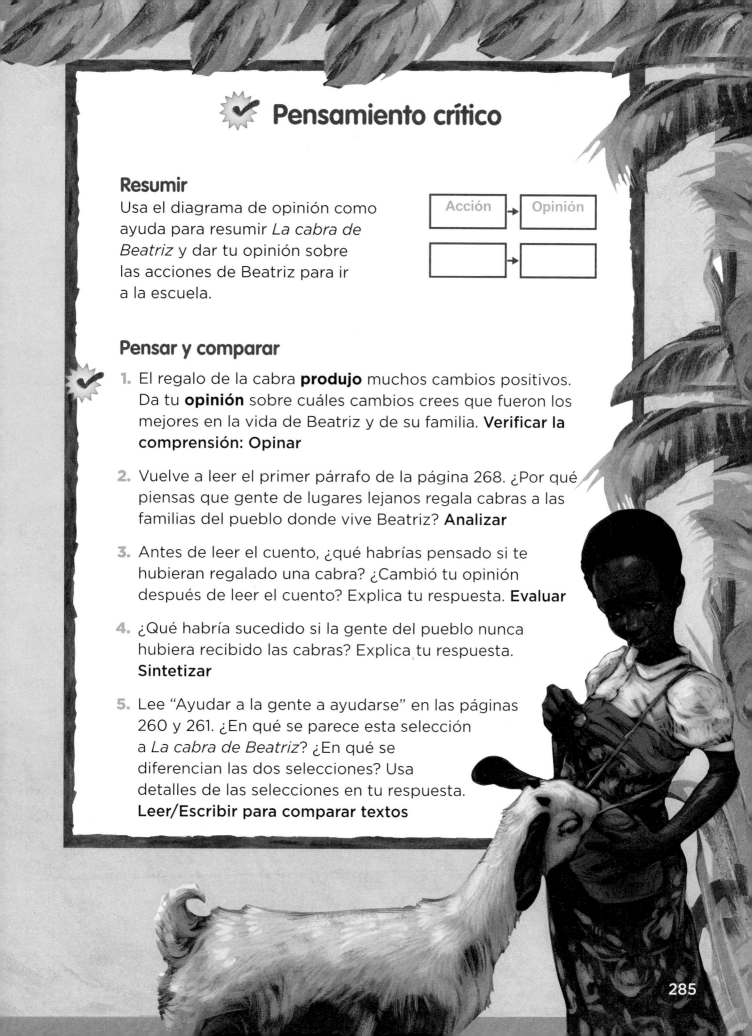

✔ Pensamiento crítico

Resumir

Usa el diagrama de opinión como ayuda para resumir *La cabra de Beatriz* y dar tu opinión sobre las acciones de Beatriz para ir a la escuela.

Acción	→	Opinión
	→	

Pensar y comparar

1. El regalo de la cabra **produjo** muchos cambios positivos. Da tu **opinión** sobre cuáles cambios crees que fueron los mejores en la vida de Beatriz y de su familia. **Verificar la comprensión: Opinar**

2. Vuelve a leer el primer párrafo de la página 268. ¿Por qué piensas que gente de lugares lejanos regala cabras a las familias del pueblo donde vive Beatriz? **Analizar**

3. Antes de leer el cuento, ¿qué habrías pensado si te hubieran regalado una cabra? ¿Cambió tu opinión después de leer el cuento? Explica tu respuesta. **Evaluar**

4. ¿Qué habría sucedido si la gente del pueblo nunca hubiera recibido las cabras? Explica tu respuesta. **Sintetizar**

5. Lee "Ayudar a la gente a ayudarse" en las páginas 260 y 261. ¿En qué se parece esta selección a *La cabra de Beatriz*? ¿En qué se diferencian las dos selecciones? Usa detalles de las selecciones en tu respuesta. **Leer/Escribir para comparar textos**

Una cabra ayuda a una niña a lograr su meta

Ann Frost

Beatriz Biira **considera**, o piensa, que la meta más importante que puede tener una persona es educarse. Durante su infancia en Uganda, vio la importancia de recibir una buena educación. Una cabra llamada Mugisa la ayudó a lograr esa meta. Después

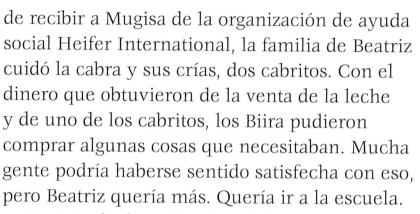

de recibir a Mugisa de la organización de ayuda social Heifer International, la familia de Beatriz cuidó la cabra y sus crías, dos cabritos. Con el dinero que obtuvieron de la venta de la leche y de uno de los cabritos, los Biira pudieron comprar algunas cosas que necesitaban. Mucha gente podría haberse sentido satisfecha con eso, pero Beatriz quería más. Quería ir a la escuela.

Beatriz, de diez años de edad, tuvo que comenzar primer grado con estudiantes mucho más jóvenes. Esto **determinó** que se esforzara más. Pronto alcanzó a sus amigos. Las buenas notas de Beatriz hicieron posible que fuera a la universidad en Estados Unidos.

Aunque fue muy difícil para Beatriz vivir tan lejos de su familia, ha sido valioso para ella tener una buena educación.

Beatriz alimenta a Mugisa.

Sobre Beatriz

Leer un editorial

Los editoriales contienen hechos y opiniones del editor o del redactor.

Las Noticias

Vol. 3 · **Edición de la tarde** · **17 de abril de 2007**

El título de un artículo o de un editorial en un diario se llama encabezado.

¿Qué importancia tienen los animales? ¡Pregúntale a Beatriz!

Esto expresa una opinión.

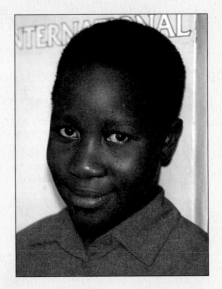

Los animales son seres maravillosos que nos ayudan a cumplir nuestras metas. Beatriz Biira vivía en Uganda, su familia no podía comprarle el uniforme ni los libros que necesitaba para ir a la escuela. Cuando la organización Heifer International le regaló una cabra a su familia, Beatriz se esforzó mucho en cuidarla y vender su leche. Así ganó suficiente dinero para comprar libros y un uniforme. Se esforzó mucho en la escuela, y finalmente pudo ir a la universidad en Estados Unidos. Ahora Beatriz quiere ayudar a otros a lograr sus metas de educación y de una vida mejor.

La educación ha cambiado la vida de Beatriz Biira. Ha aparecido en televisión para contar su historia y ha visitado escuelas para contar cómo la cabra Mugisa le cambió la vida.

Beatriz se esforzó mucho. No se dio por vencida. Hoy **alienta**, es decir, anima a los estudiantes a que lean y ayuden a que el mundo sea un lugar mejor.

Beatriz visita las escuelas para contar sus experiencias.

Pensamiento crítico

1. ¿Qué oraciones del editorial expresan opiniones? **Leer un editorial**

2. ¿Estás de acuerdo con la opinión del editorial sobre la importancia de la educación? Explica tu respuesta. **Evaluar**

3. Piensa sobre *La cabra de Beatriz* y este artículo. ¿Qué parte de ambos textos te muestra lo que piensa Beatriz sobre la educación? **Leer/Escribir para comparar textos**

 Estudios Sociales

Investiga sobre alguna organización como Heifer International que ayude a la gente. Escribe un editorial para convencer a la gente de donar dinero o tiempo a dicha organización.

 Busca información sobre organizaciones de ayuda social en **www.macmillanmh.com**

Escritura

Destacar un momento

Al **destacar un momento** importante se dan detalles sobre una persona, un lugar o una cosa.

Conexión: Lectura y escritura

Lee el siguiente pasaje. Observa de qué manera la autora Page McBrier describe cómo se siente Beatriz cuando pasa cerca de la escuela.

Pasaje de
La cabra de Beatriz

La autora describe los sentimientos de Beatriz con suficiente información para que podamos imaginarlos.

Entonces Beatriz se quedaba a un costado, en silencio, imaginándose que también era una estudiante.

¡Oh, cómo deseaba ir a la escuela! Cómo ansiaba sentarse en uno de esos bancos y hacer sumas en una pequeña pizarra. Cómo deseaba hojear un cuaderno gastado y estudiar cada palabra, una y otra vez, hasta que se quedara en su mente.

Lee y descubre

Lee lo que escribió Tomás. ¿Cómo describió Tomás un momento para mostrar lo que sabe acerca de alimentar a los peces? Usa el control de escritura como ayuda.

El pez dorado

Tomás S.

Tengo a mi pez dorado desde hace tres meses. Le doy de comer cada día. Dejo caer unos cuantos copos sobre el agua de la pecera y observo si mi pez viene a comer. Lo veo nadar hacia la superficie para comer. Entonces se traga un copo y nada, dando vueltas por la pecera.

Lee sobre cuando alimento a mi pez.

Control de escritura

✓ ¿Describió el autor el **momento** cuando da de comer a su pez?

✓ ¿Mostró el autor cómo una cosa hace que suceda otra cosa?

☑ ¿Tienes la sensación de estar viendo lo que ocurría?

✔ Repaso

Causa y efecto
Secuencia
Sacar conclusiones
Sinónimos
Instrucciones

EL DESCUBRIMIENTO DE JOSÉ

—Hoy haremos una caminata en el desierto —dijo la maestra de Marcia, la señora Fogerty. Marcia estaba ilusionada por salir de excursión con su clase, le gustaba salir y explorar lugares nuevos.

José, el amigo de Marcia, no estaba tan ilusionado.

—En el desierto no hay nada, sólo arena y un sol que quema —dijo José—. Preferiría quedarme para la clase de arte.

Todos subieron al autobús. Pronto habían salido de la ciudad. Unos 40 minutos después vieron un cartel que anunciaba la Ruta Panorámica del Cañón Roca Roja.

—¡Aquí es! —dijo la señora Fogerty.

Cuando el autobús giró para entrar en la ruta, los niños vieron a excursionistas y ciclistas que iban por la carretera.

—Recuerden que van a escribir un informe sobre lo que vean hoy aquí. Estén alerta —insistió la maestra.

—¿Qué tenemos que mirar? —preguntó José.

—Miren todo a su alrededor —respondió la señora Fogerty—. Como es primavera, algunos cactus estarán en flor. Si tenemos suerte, veremos flores silvestres del desierto. También es posible que vean animales. Quizás vean lagartos, pájaros e incluso serpientes.

—Seguro que no veremos nada muy interesante —dijo José a Marcia. Ella lo miró con un gesto de enfado.

Habían caminado unos minutos cuando Marcia gritó:

—¡Miren! ¡Un conejo!

Los demás niños gritaron entusiasmados mientras el conejo se alejaba saltando. José no dijo nada.

Más adelante otro niño dijo: —Miren este cactus. ¡Parece la barba de un viejito!

Hubo risas y más expresiones de entusiasmo. José seguía sin decir nada.

Los niños seguían haciendo comentarios. Entonces, José vio algo en un grupo de rocas altas. Eran dibujos: líneas curvas, figuras de palos, animales de cuatro patas.

—¿Qué son estos dibujos? —preguntó José a la señora Fogerty.

—Se llaman petroglifos. Algunas personas también lo llaman arte rupestre. Los hicieron los indígenas americanos que vivieron aquí hace cientos de años. Nadie sabe con certeza lo que significan los dibujos.

—¡Esto sí que es algo sobre lo que puedo escribir! —dijo contento José.

—Supongo que el desierto no está tan mal —dijo Marcia.

—¡Nooo, es fantástico! —respondió José.

TORNADOS,

las tormentas más violentas

¿Qué es un tornado?

Un tornado es un remolino de viento que gira muy rápido. Sus vientos pueden llegar a las 300 millas por hora, que es casi seis veces la velocidad máxima permitida en una autopista. Los tornados pueden ser causados por fuertes tormentas llamadas supercélulas. El aire frío y seco que se mezcla con aire cálido y húmedo produce una supercélula. Cuando el aire cálido de la supercélula se eleva rápidamente, comienza a girar formando un tornado.

Cuando un tornado toca tierra, comienza a trasladarse. El tornado puede moverse por la tierra en línea recta, en zig-zag o en círculo. En ese recorrido puede causar daño en un área de entre 1 ó 2 millas de anchura y hasta 50 millas de longitud. Normalmente los tornados tocan tierra sólo durante dos o tres minutos.

Al principio, la forma de cono de un tornado es casi invisible. A medida que el viento recoge tierra y otros materiales, el tornado se oscurece y es más fácil de ver. Un tornado también puede levantar carros, árboles y partes de edificios.

294

Seguridad en caso de tornado

Los tornados son difíciles de predecir, pero los meteorólogos pueden ayudar en estos casos. Escucha los avisos locales sobre el tiempo. Además, el cielo puede tener un color un poco verdoso antes de un tornado. Un viento con mucho ruido que suena como si un tren se acercara, puede indicar que un tornado está muy cerca.

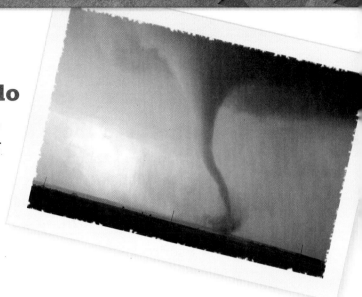

Los tornados tienen formas y tamaños diferentes.

El mejor sitio para refugiarse de un tornado es un lugar sin ventanas, como un sótano, un pasillo o un armario. Las personas que se encuentran en un carro deben parar y entrar en un edificio lo antes posible.

Instrucciones de seguridad en caso de tornado

En la escuela

1. Ir de manera ordenada a un pasillo o una habitación sin ventanas.
2. Agacharse lo más cerca del suelo posible, manteniendo baja la cabeza.
3. Protegerse la parte de atrás de la cabeza con los brazos.
4. Alejarse de ventanas y habitaciones amplias con ventanas, como gimnasios.

En el carro o el autobús

1. Alejarse del recorrido del tornado, si es posible. Si no es posible, continuar con el paso 2.
2. Estacionar el carro de manera segura y rápidamente.
3. Salir del carro y buscar refugio en un edificio resistente.
4. Si están en campo abierto: correr a un terreno bajo, lejos de los carros.
5. Agacharse lo más cerca posible del suelo, manteniendo baja la cabeza.
6. Protegerse la parte de atrás de la cabeza con los brazos.

Estudio de las palabras

Pistas de sílabas cerradas

- Cuando no conoces una palabra, puedes separarla en dos entre **sílabas cerradas** como ayuda. Una sílaba cerrada tiene un breve sonido de vocal y termina en consonante. Por ejemplo, *cons* + *truir* = *construir*.

- Escribe las siguientes palabras: *espléndido, cantimplora, objeto, examen, capaz*. Dibuja una línea entre las sílabas cerradas y di cada palabra a un compañero o compañera.

- Realiza una cacería de palabras. Lee rápidamente *La cabra de Beatriz* en las páginas 262-283. Halla tres palabras que tengan sílabas cerradas. Escríbelas y divide ambas palabras. Léelas en voz alta a un compañero o compañera.

Estudio de las palabras

¿Quieres decir vela o vela?

- Los **homógrafos** son palabras que se escriben igual, pero tienen diferentes significados. Usa el diccionario y claves de contexto para decidir qué significado es el adecuado.

- La *vela* es es un paño que se coloca en el mástil de un barco. También se llama así a un cilindro de cera que se enciende para dar luz. Lee la siguiente oración y decide qué significado es el más adecuado: Recuerda apagar la vela.

- Usa un diccionario y escribe dos oraciones para estas palabras: *segundo, río, llama*. Pide a un compañero o compañera que haga coincidir las definiciones de las palabras con las oraciones.

Comprensión

Yo opino

- Los editoriales son textos persuasivos, pues intentan convencer a los lectores de que piensen de una determinada manera.

- Vuelve a leer el editorial de la página 288 y comenta con un compañero o compañera cuál es la opinión del autor.

- Piensa en algún tema que te interese y escribe las razones o motivos (tu opinión) por las cuales te parece importante. Recuerda que debes persuadir a los lectores de que tu opinión es valiosa.

 Género

De lecciones y aves

- Existen cuentos breves que enseñan una lección. El **tema** debe estar respaldado por detalles del cuento.

- Vuelve a leer "Jara y la paloma torcaza", páginas 228-229. En este cuento, el tema no está explícito. Parafrasea el tema. ¿Qué detalles lo respaldan?

- Busca otro cuento en la biblioteca. Vuelve a contar la historia a un compañero o compañera expresando el tema con tus propias palabras. Identifiquen los detalles que respalden tu trabajo.

La **gran** pregunta

¿De qué maneras se puede contar un cuento?

Busca información sobre cuentacuentos en **www.macmillanmh.com.**

La narración de cuentos es algo muy común. Los relatos más antiguos, como mitos, leyendas y cuentos populares, pasaron en forma oral de generación en generación.

También, las personas pueden compartir relatos por medio de la escritura, dibujos o a través de representaciones. Al compartir relatos, compartimos nuestra historia, sueños e ideas. Escuchar los relatos de otras personas nos ayuda a aprender más sobre el mundo que nos rodea.

Actividad de investigación

En esta unidad leerás diferentes tipos de cuentos. Piensa en un cuento clásico sobre el que te gustaría investigar. Investiga para saber cuál es el origen del cuento y cómo ha cambiado con el paso del tiempo.

Anota lo que aprendes

A medida que leas, anota lo que aprendas sobre la narración de relatos. Usa el Boletín en capas, en la primera capa escribe el tema de la unidad "Cuentacuentos". En cada pliegue, escribe lo que aprendas sobre los diferentes tipos de narradores de cuentos que conozcas cada semana.

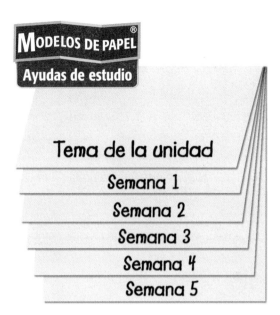

MODELOS DE PAPEL®

Ayudas de estudio

Tema de la unidad

Semana 1

Semana 2

Semana 3

Semana 4

Semana 5

Taller de investigación

Haz la investigación de la Unidad 6 con:

Guía de investigación
Sigue esta guía paso a paso para completar tu proyecto de investigación.

Recursos en Internet
- Buscador por temas y otras herramientas de investigación
- Videos y excursiones virtuales
- Fotos y dibujos para presentaciones
- Artículos y recursos relacionados en Internet

Busca información en
www.macmillanmh.com

TEXAS
Gente y lugares

Walter Cronkite Periodista

Walter Cronkite creció en Houston, Texas. Durante más de 30 años desarrolló una importante labor periodística presentando noticias.

CUENTOS FOLCLÓRICOS

¿Cómo comparte sus historias la gente alrededor del mundo?

Conéctate

Busca información sobre cuentos folclóricos en **www.macmillanmh.com**

Animales
SALVADORES

Iñigo Javaloyes

Las personas dependemos de los animales desde el origen de la humanidad. Sin embargo, nuestra ingratitud y **terquedad** nos han llevado a destruir muchos y **preciados** espacios naturales y los animales salvajes que los habitan. A pesar de todo, hay historias reales y leyendas de animales que nos salvaron la vida.

Leyendas y cuentos

Cuenta la leyenda que la ciudad de Roma fue fundada por dos hermanos. Se llamaban Rómulo y Remo, y se dice que de niños fueron abandonados en una cesta en el río Tíber, al sur de Italia. Allí fueron encontrados por una loba, llamada Luperca, que los amamantó **mansamente** hasta que fueron rescatados por un pastor.

En la literatura, el niño lobo más famoso nació de la pluma de Rudyard Kipling, autor de *El libro de la selva*. Esta es la historia de Mowgli, un niño que lo adopta una loba. Akela, la loba, defiende a Mowgli de los peligros que lo acechan en la **inhóspita** selva.

Casos reales

Pero no todo es fantasía. En 1920, los habitantes de una aldea de la India, vieron a dos niñas pequeñas merodeando con una manada de lobos adultos. Salieron en su búsqueda y las encontraron en una cueva acurrucadas con dos lobeznos.

En 1998, la policía en Rusia, rescató de las calles a Mishukov, un niño de seis años que vivía con un grupo de perros callejeros.

Para sobrevivir a las **arduas** noches de invierno, el niño y los perros se acurrucaban entre sí para darse calor.

Marineros y delfines

Se han registrado numerosas historias de delfines que han evitado naufragios. Uno de los más famosos fue el delfín que durante 24 años guió a cientos de barcos en la peligrosa travesía del estrecho de Cook, en Nueva Zelanda.

También se relata la historia real de cuatro marineros sudafricanos que, al terminar sus **labores** de pesca, se perdieron en una densa niebla. Por suerte, llegaron cuatro delfines que rodearon el barco y lo empujaron para que no chocara contra las rocas. De no ser por los delfines el barco hubiera naufragado.

Volver a leer para **comprender**

✔ **Visualizar**

Hacer inferencias

Los autores no siempre cuentan todos los detalles en la historia. A veces los lectores tienen que usar **pistas** y lo que ya saben para **hacer inferencias**. Visualizar lo que pasa en la historia te ayuda a hacer inferencias.

Vuelve a leer la selección. Usa tu diagrama de inferencia para conocer los detalles que no dio el autor.

Pista
↓
Pista
↓
Pista
↓
Inferencia

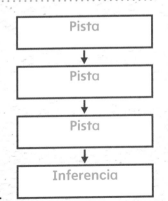

Comprensión

Género

Una **leyenda** es una narración oral o escrita que se transmite de generación en generación y que puede estar basada en un hecho real.

Visualizar

Hacer inferencias
Al leer, usa tu diagrama.

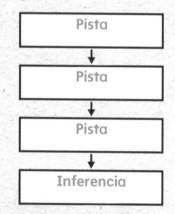

Pista

↓

Pista

↓

Pista

↓

Inferencia

Lee para descubrir

¿Quién es Mamacocha?

El secreto de LA LLAMA

LEYENDA PERUANA

Argentina Palacios

ilustraciones de **Charles Reasoner**

Hace muchísimo tiempo, un hombre, su esposa y sus hijos vivían en el altiplano de los Andes. Eran pobres; tenían sólo una casita de piedra, poca cosa de comer y una llama. La llama era lo más valioso que poseían.

En esa tierra **inhóspita**, la familia vivía una vida sencilla, dedicada a arduas **labores** para sobrevivir. Todos sabían que sin la ayuda de la llama, la tierra les daría menos.

Todos los días, el hombre y la mujer cargaban la llama de palos para sembrar y cultivar y baldes de agua para regar y se dirigían a trabajar la tierra.

Cuando hacían la cosecha, el hombre y la mujer la llevaban a su casita de piedra. La llama acarreaba la mayor parte de la quinoa, el maíz y las papas. El hombre, la mujer y los hijos llevaban el resto a cuestas.

Hacer inferencias
¿Por qué la llama era lo más valioso que tenía la familia?

El hombre siempre llevaba a su **preciada** llama donde había buena yerba. Un día llevó al animal al lugar de costumbre, pero la llama no probó bocado.

—¡Come, llamingo, come! Llénate de *ischu* —imploró el hombre. Pero la llama no quiso comer.

El hombre tocó a la llama suavemente. La auscultó en el pecho y le dijo: —¿Qué es lo que te pasa? A mí no me parece que estés mal, llamingo, pero si no quieres comer, nos vamos a casa.

El hombre le contó a su mujer que la llama no había comido cuando la llevó al prado.

—Llévala a un lugar distinto mañana —le dijo la mujer—. A lo mejor la yerba ya no estaba tierna en ese prado. Tal vez ya se estaba secando.

Al día siguiente, el hombre llevó a la llama por un camino distinto a otro prado. Uno por uno, examinó los montones de *ischu*, para estar seguro de la buena calidad de esta yerba. Pero la llama se negó a comer por segunda vez.

El tercer día, y el cuarto,
el hombre llevó a la llama
de un prado a otro. El
quinto día, le dijo:

—Llamingo, si no comes
hoy, te vas a enfermar
y te vas a morir. Tú no
te puedes morir porque
te necesito.

En vez de comer,
la llama se quejó —in,
in— y le rodaron unos
cuantos lagrimones.

—Nada de quejas y lágrimas
—le gritó el hombre—. Estoy harto
de tu **terquedad**. ¿Te tendré que dar con
este tallo de maíz para que comas?

La llama miró a su amo. En el acto,
el hombre dio un paso atrás porque se
imaginó que la llama lo iba a escupir,
que es costumbre de las llamas escupir
cuando se enojan. Pero, para sorpresa
del hombre, la llama le habló.

—Mi amo, no puedo comer por algo
que sé. Es algo muy pero muy triste.

—¡Aaayyyy! —exclamó el hombre—. ¿Qué sabes tú
que te entristece tanto?

—Va a pasar algo terrible. El mundo, tal como es, va
a desaparecer.

—¿Y tú cómo sabes eso, llamingo?

—Mamacocha, el mar, ha anunciado que habrá
grandes cambios —respondió la llama—. Es más, ha
amenazado con inundar la tierra, con ahogar y destruir
todo lo que le quede al paso.

—¿Hay alguna manera de salvarse, llamingo? —le
preguntó el hombre, aterrado.

—Huillcacoto, la montaña más alta de la cordillera,
se escapará de las aguas —dijo la llama—. Ponme
atención y haz lo que te digo. Busca a tu familia y dile
a tu esposa que lleve suficiente comida para cinco días.

El hombre corrió a casa, seguido por la llama.

La mujer estaba sentada afuera de la casita de piedra hilando con la lana de la llama. Los niños estaban jugando.

—Mujer, tenemos que dejarlo todo —gritó el hombre—. ¡Tenemos que abandonar nuestra casa porque las aguas van a crecer!

—¿Y tú cómo lo sabes? —le preguntó la mujer.

—Me lo ha dicho la llama. Mamacocha está enojada y por eso va a inundar toda la tierra. Tenemos que irnos a Huillcacoto para salvarnos.

—Hombre, ¿la llama ha hablado? —le dijo la mujer—. Has estado mucho al sol. Pero cuando lo miró a los ojos, se dio cuenta de que lo que el marido le decía era cierto.

Así pues, el hombre, la mujer y los niños se prepararon a toda prisa para la escapada. Al momento de salir, la llama les recordó que debían llevar suficiente comida para cinco días.

Con la llama a la cabeza, emprendieron el camino. A poco se encontraron con una manada de guanacos pastando en un prado.

—Las aguas lo van a cubrir todo —les dijo la llama en su propia lengua—. Tienen que seguirnos a Huillcacoto.

Los guanacos miraron extrañados a la llama.

—No hay tiempo que perder —continuó la llama. ¡Vamos, rápido, si no, se van a ahogar!

Los guanacos entendieron por fin las palabras de la llama y siguieron la caravana por la montaña.

Cuando los viajeros se acercaban a un lago de
altura, una bandada de flamencos que vadeaban en
el agua dieron la alarma.

—No hay de qué temer, no venimos a hacerles
daño —les dijo la llama en su propia lengua—. ¡Pero
pongan atención! Las aguas inundarán la tierra.
¡Sálvense! Vuelen a Huillcacoto, la montaña más alta
de la cordillera.

Los flamencos emprendieron el vuelo. Los
cansados caminantes empezaron a aminorar el paso.

—No hay tiempo para descansar —les gritó la
llama—. ¡Miren! Mamacocha, el mar, está subiendo. Si
nos detenemos, nos alcanzará.

Todos apuraron el paso.

Al cabo de un rato se encontraron con una puma y sus cachorros. La madre estaba enseñando a las crías a acechar la presa.

—Alto —les dijo la llama en su propia lengua—. No hay tiempo para cazar. Mamacocha, el mar, lo va a inundar todo dentro de poco. Si quieren sobrevivir, vénganse con nosotros a Huillcacoto, la montaña más alta de la cordillera.

Los pumas escucharon, pero al mismo tiempo miraban a los otros animales con ganas.

—¡No, no! —gritó la llama—. Compórtense porque todos estamos en peligro.

Mansamente, los pumas siguieron a la llama cuesta arriba. Más adelante se encontraron con unas chinchillas asoleándose en las rocas.

—Despierten —les dijo la llama en su propia lengua—. Mamacocha, el mar, lo va a inundar todo dentro de poco, hasta estas rocas. Si no quieren ahogarse, síganos a Huillcacoto, la montaña más alta de la cordillera.

Las chinchillas entendieron y enseguida siguieron al grupo.

Un par de cóndores, hembra y macho, posados en
un alto saliente de roca, observaban a su condorito
en sus primeros intentos de vuelo. Cuando la llama
les advirtió, en su propia lengua, sobre Mamacocha
y las aguas crecientes, también se dirigieron
a Huillcacoto.

Por pura curiosidad, una familia de zorros se
acercó a ver lo que pasaba. Jamás se había visto por
allí un desfile de tantas criaturas. La llama les dijo, en
su propia lengua, lo que había dicho a todo el mundo.
Pero los zorros no creyeron el cuento de la llama y no
siguieron a los demás.

Y así fue que la llama advirtió a todas las criaturas con quienes se topaba. Les dijo también cómo salvarse y la mayoría se unió a la caravana.

Tras una larga y **ardua** jornada llegaron a Huillcacoto. En la cima, las personas y los animales todos apretujados vieron cómo subían las aguas.

—Miren —dijo el hombre mientras mostraba la familia de zorros que habían visto en el camino.

—Dense prisa —les gritó la llama.

Los zorros apenas pudieron escaparse de las crecientes aguas. Ya no quedaba casi espacio para ellos en la cima, así que la puntita de su largo y tupido rabo tuvo que quedarse metida en el agua.

De pronto, desapareció el sol. Hizo un frío glacial y todos se llenaron de pavor. Es que, hasta ese momento, nadie había visto jamás la oscuridad.

Inti, el sol, ha muerto —exclamaron todos—. Se ha caído del cielo a las aguas. ¡Mamacocha se lo ha tragado!

—No teman —les dijo la llama—. La oscuridad no se va a quedar para siempre.

Y entonces, también de repente, el mar dejó de
subir. Tal como la llama lo había prometido, aclaró
otra vez.

—¡El sol no ha muerto! —exclamaron las personas
y los animales.

Estaba reposando en las aguas tras muchas horas de ardua labor dando calor a la tierra y a todas sus criaturas —explicó la llama—. ¡No tengan miedo! El sol nunca morirá. Inti nos dará su luz durante el día. Durante la noche tomará un baño y entonces, Mamaquilla, la luna, vendrá a refrescarnos y favorecernos con su belleza.

Mamacocha se sintió satisfecha. Las aguas empezaron a bajar hasta los lugares donde se encuentran hoy día.

Los que se refugiaron en la cima de Huillcacoto empezaron el descenso. Los primeros en bajar fueron los zorros, que ahora tenían en la punta del rabo una mancha negra donde los habían tocado las oscuras aguas.

Hacer inferencias
¿Por qué todos temían la muerte del sol?

322

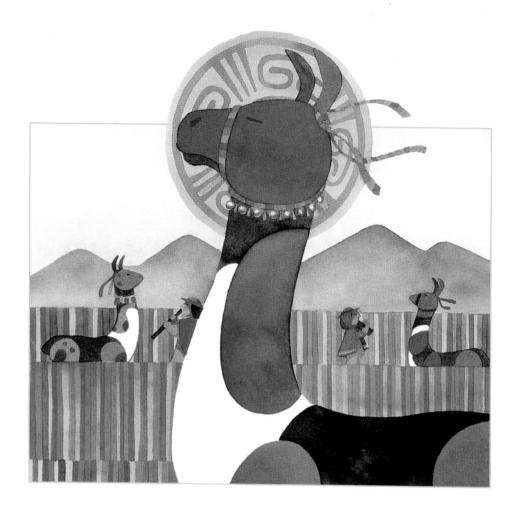

Hoy en día, las personas y los animales que habitan en la cordillera de los Andes son los nietos de los nietos de los nietos de los que se refugiaron en Huillcacoto. Para demostrar su gratitud, las personas adornan a las llamas con cascabeles y lazos. Además, las llevan a pastar donde el *ischu* está más verde y tierno.

Cuando las llamas comen, los hombres tocan flautas, unas de las cuales se llaman *quenas* y otras, *antaras*. Las llamas, a su vez, mueven las orejas cuando escuchan la música. Es así como las llamas dicen que les gusta, porque ninguna llama habla la lengua de los seres humanos desde esa vez hace tanto pero tanto tiempo.

Los secretos de ARGENTINA Y CHARLES

Autora

ARGENTINA PALACIOS nació en Panamá y vive en Austin, Texas, donde se dedicó a enseñar español. Argentina además de ser una conocida cuentacuentos, ha escrito numerosos libros para niños y jóvenes, y ha traducido muchas obras al español.

Ilustrador

CHARLES REASONER ha ilustrado decenas de libros. Entre los que más le gustan están las leyendas indígenas. Aunque en sus dibujos se refleja una clara influencia de formas y colores indígenas, Charles tiene estilos muy diversos.

Otro libro de Argentina Palacios

 Busca información sobre Argentina Palacios y Charles Reasoner en **www.macmillanmh.com**

 Propósito de la autora
¿Qué detalles te ayudan a conocer el propósito de la autora?

24

✔ Pensamiento crítico

Resumir

Resume *El secreto de la llama*. Usa tu diagrama de inferencia como ayuda para explicar por qué la llama habla con los animales que se encuentra en el lenguaje de cada uno de ellos.

Pista
↓
| Pista |
↓
| Pista |
↓
| Inferencia |

Pensar y comparar

1. ¿Qué **inferencia** puedes hacer sobre la punta de la cola de color negro de los zorros? **Visualizar: Hacer inferencias**

2. Vuelve a leer la página 310. ¿Por qué crees que el dueño de la llama le dice "Tú no te puedes morir porque te necesito"? **Analizar**

3. La llama le avisa a todos los animales del peligro que se avecina. Cuenta qué harías tú si supieras que se va a producir una catástrofe. **Aplicar**

4. Explica por qué crees que eran tan **arduas** las labores que realizaban las familias de la cordillera. **Evaluar**

5. Lee "Animales salvadores" en las páginas 304 y 305. Compara la relación entre las personas y los animales de ambos cuentos. ¿En qué se parecen? ¿En qué se diferencian? Usa detalles en tu respuesta. **Leer/Escribir para comparar textos**

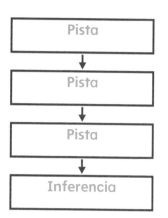

La historia del primer pájaro carpintero

Florence Holbrook

Hace mucho, mucho tiempo, el Gran Espíritu bajaba del cielo. Una vez, en uno de sus viajes entre la tierra y el cielo, el Gran Espíritu llegó junto al tipi de una mujer. El espíritu entró en el tipi y se sentó junto al fuego, pero tenía el aspecto de un anciano y la mujer no supo quién era.

—He ayunado durante muchos días —dijo el Gran Espíritu a la mujer—. ¿Me puede dar algo para comer?

La mujer hizo un panecillo muy pequeño y lo puso en el fuego.

—Puede comerse este panecillo —dijo la mujer— si espera hasta que se cocine.

—Esperaré —dijo él.

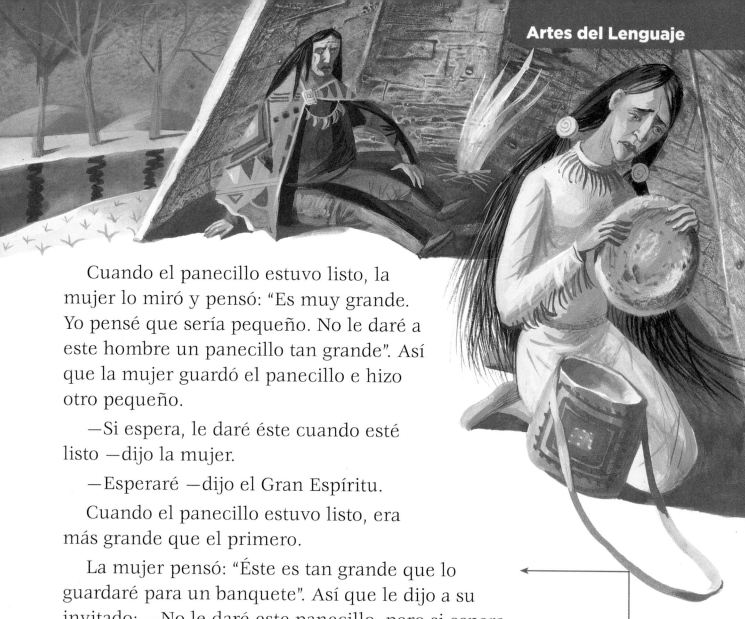

Cuando el panecillo estuvo listo, la mujer lo miró y pensó: "Es muy grande. Yo pensé que sería pequeño. No le daré a este hombre un panecillo tan grande". Así que la mujer guardó el panecillo e hizo otro pequeño.

—Si espera, le daré éste cuando esté listo —dijo la mujer.

—Esperaré —dijo el Gran Espíritu.

Cuando el panecillo estuvo listo, era más grande que el primero.

La mujer pensó: "Éste es tan grande que lo guardaré para un banquete". Así que le dijo a su invitado: —No le daré este panecillo, pero si espera le haré otro.

—Esperaré —contestó otra vez el Gran Espíritu.

Entonces la mujer hizo otro panecillo. Al principio era más pequeño que los otros, pero cuando fue a sacarlo del fuego vio que era el más grande de los tres. Ella no sabía que la magia del Gran Espíritu había hecho que cada panecillo fuera más grande, y pensó: "Esto es un portento, pero no le daré el panecillo más grande de todos". Así que le dijo a su invitado: —No tengo comida para usted. Vaya al bosque y busque allí algo para comer. Puede encontrar algo en la corteza de los árboles.

La mujer hace dos panecillos y no le da ninguno al hombre. Esto nos da la premonición de que ella puede hacer lo mismo con el tercer panecillo.

El Gran Espíritu se enfadó al oír las palabras de la mujer. Se levantó del suelo y se quitó su manto.

—Hay que ser bueno y amable —dijo el Gran Espíritu—, y tú eres cruel. Ahora ya no serás una mujer, ni vivirás en un tipi. Irás al bosque y buscarás tu comida en la corteza de los árboles.

El Gran Espíritu golpeó el suelo con el pie, y la mujer se hizo más y más pequeña. En el cuerpo de la mujer crecieron alas y quedó cubierta de plumas. Con un grito agudo, la mujer se elevó del suelo y se fue volando al bosque.

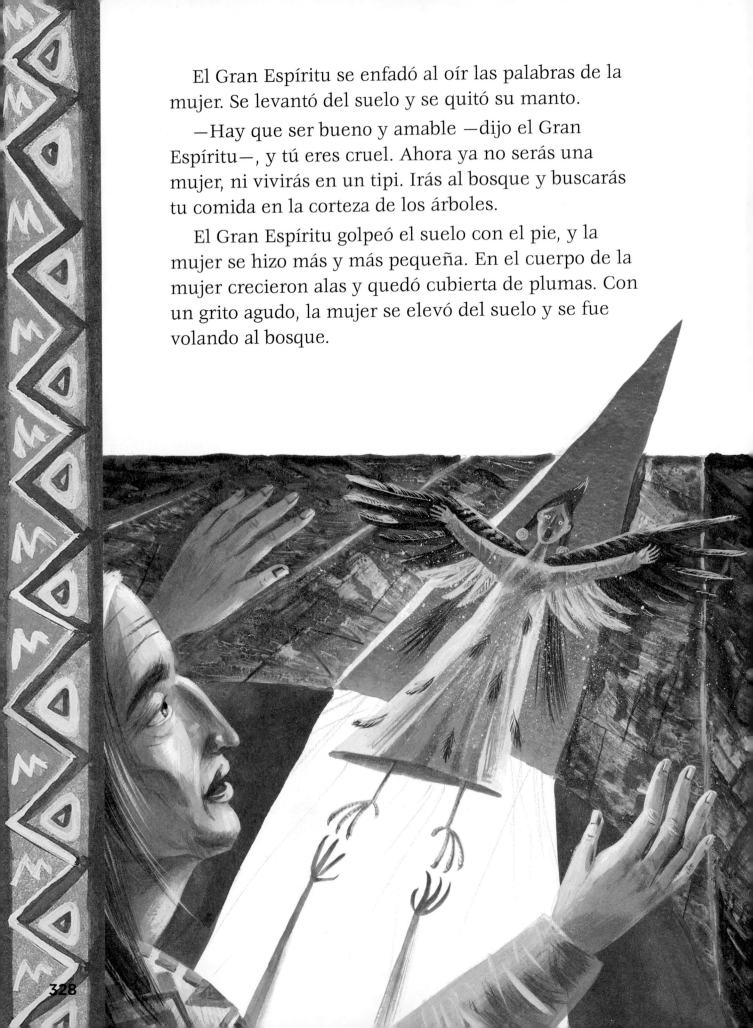

Y desde entonces, todos los pájaros carpinteros viven en el bosque y buscan su comida en la corteza de los árboles.

✔ Pensamiento crítico

1. ¿Cuál es otro ejemplo de premonición en este mito? **Premonición**

2. ¿Por qué es importante saber que la mujer no sabía quién era realmente el anciano? **Analizar**

3. Vuelve a leer "Animales salvadores" en las páginas 304 y 305. Luego compara la manera de transmitir la información de este autor con la del mito sobre el pájaro carpintero. ¿En qué se parecen y en qué se diferencian? **Leer/Escribir para comparar textos**

Busca información sobre premonición en **www.macmillanmh.com.**

329

Escritura

Desarrollo del personaje: Credibilidad

Los buenos escritores usan el diálogo y las acciones de sus **personajes** para hacerlos **creíbles** al lector.

Conexión: Lectura y escritura

Lee el siguiente pasaje. Observa cómo la autora Argentina Palacios describe de manera creíble cómo un hombre trata a su llama.

Pasaje de
El secreto de la llama

La autora nos muestra cómo actuaría un campesino real con su animal. Observamos cómo el hombre se preocupa por su llama.

El hombre siempre llevaba a su preciada llama donde había buena yerba. Un día llevó al animal al lugar de costumbre, pero la llama no probó bocado.

—¡Come, llamingo, come! Llénate de *ischu* —imploró el hombre. Pero la llama no quiso comer.

El hombre tocó a la llama suavemente. La auscultó en el pecho y le dijo: —¿Qué es lo que te pasa? A mí no me parece que estés mal, llamingo, pero si no quieres comer, nos vamos a casa.

Lee y descubre

Lee lo que escribió Greta. ¿Cómo nos ayudó Greta a conocer al personaje de Sara? Usa el control de escritura como ayuda.

Adiós

Greta F.

Lee mi historia sobre Sara.

—¡Huy! —dijo Sara mientras agarraba una esponja y el vaso. Sara lo limpió hasta que le pareció que estaba bien, aunque la mayoría de la gente no pensaría lo mismo. Todavía quedaban rastros anaranjados de jugo. Sara se volteó hacia Peludo, su animal favorito, y le dijo adiós. Sara se colocó el abrigo y corrió hacia la puerta. Podía escuchar el autobús llegando.

Control de escritura

 ¿Mostró la autora pensamientos, diálogos o acciones de Sara?

 ¿Cómo hizo la autora que Sara sea un **personaje creíble**?

¿Puedes imaginarte a Sara como una persona real?

Las obras de teatro son una manera divertida de contar historias. ¿Por qué es importante el vestuario en la representación?

Busca información sobre obras de teatro en **www.macmillanmh.com**

OBRAS DE TEATRO

El Viento y el Sol

Fábula de Esopo

recreada por Jon Lory

NARRADOR: Hace mucho tiempo, el Viento y el Sol discutieron sobre cuál de ellos era más fuerte. En medio de la discusión, vieron a un hombre caminando por el camino. Llevaba un **sofisticado** abrigo que tenía una imagen de un hacha de oro en el frente. El hacha era el **símbolo** de su oficio. Era leñador.

EL SOL: Tratemos de quitarle el abrigo al leñador. Aquel que lo logre será el más fuerte. Trata tú primero.

NARRADOR: El Viento fue primero. El Sol se ocultó detrás de una nube para mirar desde el cielo **oscurecido**.

EL VIENTO: Soplaré sobre el leñador lo más fuerte que pueda. ¡Sé que puedo quitarle su abrigo!

NARRADOR: Entonces el Viento sopló sobre el leñador con furia, lo más fuerte que pudo.

EL VIENTO: ¡Uuuuuuhhhh… uuuuuuhhhh-uuuuuhhhh…! ¡UUUUUHHH!

LEÑADOR: ¡Oh! El viento frío me **roe** los huesos. Por suerte traje mi abrigo para envolverme.

NARRADOR: El leñador siguió caminando y **sujetó** con fuerza su abrigo. Desesperado, el Viento se dio por vencido.

EL VIENTO: ¡Éste debe haber sido el viento más **débil** que he soplado en toda mi vida! No pude quitarle el abrigo al leñador.

NARRADOR: Ahora le tocaba el turno al Sol.

EL SOL: Voy a hacer brillar mis rayos y abrazaré suavemente al leñador. ¡Sé que podré quitarle el abrigo!

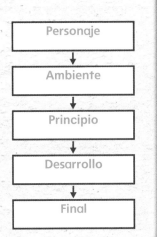

NARRADOR: Entonces el Sol brilló sobre el leñador lo más fuerte que pudo.

LEÑADOR: ¡Oh! Qué fuerte brilla el sol. ¡Hace demasiado calor para este abrigo! Será mejor que me lo quite.

NARRADOR: El leñador se quitó el abrigo. Entonces, el Sol demostró que la suavidad de los abrazos podía ser más poderosa que la furia.

Volver a leer para **comprender**

✔ Hacer preguntas
Resumir

Hacerte preguntas a medida que lees puede ayudarte a entender y a **resumir** el cuento. Un diagrama del cuento puede ayudarte a responder tus preguntas sobre los personajes, el ambiente y el argumento.

Vuelve a leer la selección "El Viento y el Sol", luego usa el diagrama del cuento para resumirla.

Personaje
↓
Ambiente
↓
Principio
↓
Desarrollo
↓
Final

Comprensión

Género
Una **obra de teatro** es una historia que se escribe para representarla en un escenario.

Hacer preguntas
Resumir

Mientras lees, usa tu diagrama del cuento.

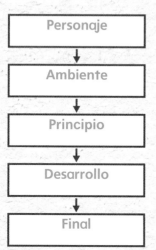

Personaje
↓
| Ambiente |
↓
| Principio |
↓
| Desarrollo |
↓
| Final |

Lee para descubrir
¿Cómo descubre la Hormiguita Roja quién es el más fuerte?

EL MÁS FUERTE

Obra de teatro zuni

Joseph Bruchac
ilustraciones de Lucía Ángela Pérez

Autor premiado

LOS ZUNI son uno de los grupos del Sudoeste que viven en compactas aldeas compuestas de viviendas de varios niveles, hechas con ladrillos de adobe y techos de vigas. El pueblo zuni, también llamado zuñi, está ubicado en lo que hoy es Nuevo México. Los zuni y otros grupos desarrollaron métodos de cultivo adaptados a las tierras secas del Sudoeste, y se los considera agricultores muy **sofisticados**.

El pueblo zuni es famoso por sus ceremonias, las cuales fueron creadas para dar gracias y apoyo a todos los seres vivos, desde el más grande al más pequeño. Los zuni también son conocidos como artistas por sus magníficas joyas hechas de plata y turquesas.

PERSONAJES

NARRADOR

HORMIGUITA ROJA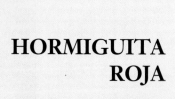

SEGUNDA HORMIGA

TERCERA HORMIGA

CUARTA HORMIGA

NIEVE

SOL

VIENTO

CASA

RATÓN

GATO

PALO

FUEGO

AGUA

CIERVO

FLECHA

GRAN ROCA

Vestuario

El **Narrador** usa un largo pañuelo de cabeza atado a un lado.

Las **Hormigas** tienen antenas hechas con limpiapipas rojos, que se **sujetan** a la cabeza con una cinta.

La **Nieve**, el **Sol**, el **Viento**, el **Palo**, el **Fuego**, el **Agua** y la **Gran Roca** usan camisetas que adornan con su **símbolo**.

La **Casa** lleva un gran ladrillo de adobe hecho en papel.

El **Ratón**, el **Gato** y el **Ciervo** pueden tener colas y orejas de fieltro sujetas con una cinta.

La **Flecha** lleva una gran flecha de cartón.

Escena 1: Dentro del hormiguero

*Sobre un escenario **oscurecido**, se ve un grupo de hormigas en cuclillas.*

NARRADOR: La Hormiguita Roja vivía con todos sus familiares en un hormiguero debajo de la Gran Roca. A menudo pensaba en el mundo exterior: ¿Quién sería el más fuerte del mundo? Un día, al final de la primavera, la Hormiguita Roja decidió averiguarlo.

HORMIGUITA ROJA: Voy a averiguar quién es el más fuerte. Voy a salir a dar un paseo.

SEGUNDA HORMIGA: ¡Ten cuidado! Nosotras, las hormigas, somos muy pequeñas. Algo podría pisarte.

TERCERA HORMIGA: Sí, somos las más pequeñas y las más **débiles**.

CUARTA HORMIGA: ¡Ten cuidado! Afuera es peligroso.

HORMIGUITA ROJA: Tendré cuidado. Descubriré quién es el más fuerte. Tal vez el más fuerte pueda enseñarnos cómo ser más fuertes.

> **Resumir**
> ¿Qué quiere descubrir la Hormiguita Roja?

Escena II: La meseta

La hormiga camina de un lado a otro del escenario.

NARRADOR: Entonces la Hormiguita Roja salió y comenzó a caminar. Pero mientras la Hormiguita Roja caminaba, la Nieve comenzó a caer.

La Nieve entra al escenario.

HORMIGUITA ROJA: Ah, mis pies están fríos. Esta nieve congela todo. La Nieve debe ser la más fuerte. Le preguntaré. Nieve, ¿eres tú la más fuerte de todos?

NIEVE: No, no soy la más fuerte.

HORMIGUITA ROJA: ¿Quién es más fuerte que tú?

NIEVE: El Sol es más fuerte. Cuando el Sol brilla sobre mí, me derrito. ¡Allí viene!

Mientras el Sol entra al escenario, la Nieve sale apresuradamente.

341

HORMIGUITA ROJA: Ah, el Sol debe ser el más fuerte. Le preguntaré. Sol, ¿eres tú el más fuerte de todos?

SOL: No, no soy el más fuerte.

HORMIGUITA ROJA: ¿Quién es más fuerte que tú?

SOL: El Viento es más fuerte. El Viento sopla en el cielo y las nubes cubren mi cara. ¡Allí viene!

Mientras el Viento entra al escenario, el Sol sale apresuradamente cubriéndose la cara con las manos.

HORMIGUITA ROJA: El Viento debe ser el más fuerte. Le preguntaré. Viento, ¿eres tú el más fuerte de todos?

VIENTO: No, no soy el más fuerte.

HORMIGUITA ROJA: ¿Quién es más fuerte que tú?

VIENTO: La Casa es más fuerte. Cuando entro a la Casa, no puedo moverme. Tengo que irme a otro sitio. ¡Allí viene!

Mientras la Casa entra al escenario, el Viento sale apresuradamente.

HORMIGUITA ROJA: La Casa debe ser la más fuerte. Le preguntaré. Casa, ¿eres tú la más fuerte de todos?

CASA: No, no soy la más fuerte.

HORMIGUITA ROJA: ¿Quién es más fuerte que tú?

CASA: El Ratón es más fuerte. El Ratón viene, **roe** mis paredes y las agujerea. ¡Allí viene!

Mientras el Ratón entra al escenario, la Casa sale apresuradamente.

HORMIGUITA ROJA: El Ratón debe ser el más fuerte. Le preguntaré. Ratón, ¿eres tú el más fuerte de todos?

RATÓN: No, no soy el más fuerte.

HORMIGUITA ROJA: ¿Quién es más fuerte que tú?

RATÓN: El Gato es más fuerte. El Gato me persigue, y si el Gato me agarra, me comerá. ¡Allí viene!

Mientras el Gato entra al escenario, el Ratón sale apresuradamente dando un chillido.

HORMIGUITA ROJA: El Gato debe ser el más fuerte. Le preguntaré. Gato, ¿eres tú el más fuerte de todos?

GATO: No, no soy el más fuerte.

HORMIGUITA ROJA: ¿Quién es más fuerte que tú?

GATO: El Palo es más fuerte. Cuando el Palo me golpea, huyo. ¡Allí viene!

Mientras el Palo entra al escenario, el Gato sale apresuradamente, maullando.

HORMIGUITA ROJA: El Palo debe ser el más fuerte. Le preguntaré. Palo, ¿eres tú el más fuerte de todos?

PALO: No, no soy el más fuerte.

HORMIGUITA ROJA: ¿Quién es más fuerte que tú?

PALO: El Fuego es más fuerte. Cuando me ponen en el Fuego, el Fuego me quema. ¡Allí viene!

Mientras el Fuego entra al escenario, el Palo sale apresuradamente.

HORMIGUITA ROJA: El Fuego debe ser el más fuerte. Le preguntaré. Fuego, ¿eres tú el más fuerte de todos?

FUEGO: No, no soy el más fuerte.

HORMIGUITA ROJA: ¿Quién es más fuerte que tú?

FUEGO: El Agua es más fuerte. Cuando el Agua cae sobre mí, me mata. ¡Allí viene!

Mientras el Agua entra al escenario, el Fuego sale apresuradamente.

HORMIGUITA ROJA: El Agua debe ser la más fuerte. Le preguntaré. Agua, ¿eres tú la más fuerte de todos?

AGUA: No, no soy la más fuerte.

HORMIGUITA ROJA: ¿Quién es más fuerte que tú?

AGUA: El Ciervo es más fuerte. Cuando viene el Ciervo, el Ciervo me bebe. ¡Allí viene!

Mientras el Ciervo entra al escenario, el Agua sale apresuradamente.

HORMIGUITA ROJA: El Ciervo debe ser el más fuerte. Le preguntaré. Ciervo, ¿eres tú el más fuerte de todos?

CIERVO: No, no soy el más fuerte.

HORMIGUITA ROJA: ¿Quién es más fuerte que tú?

CIERVO: La Flecha es más fuerte. Cuando la Flecha me hiere, puede matarme. ¡Allí viene!

Mientras la Flecha entra al escenario, el Ciervo sale apresuradamente, dando brincos.

HORMIGUITA ROJA: La Flecha debe ser la más fuerte. Le preguntaré. Flecha, ¿eres tú la más fuerte de todos?

FLECHA: No, no soy la más fuerte.

HORMIGUITA ROJA: ¿Quién es más fuerte que tú?

FLECHA: La Gran Roca es más fuerte. Cuando me disparan con el arco y golpeo contra la Gran Roca, la Gran Roca me rompe.

HORMIGUITA ROJA: ¿Te refieres a la Gran Roca donde viven las Hormigas Rojas?

FLECHA: Sí, ésa es la Gran Roca. ¡Allí viene!

Mientras la Gran Roca entra al escenario, la Flecha sale corriendo.

HORMIGUITA ROJA: La Gran Roca debe ser la más fuerte. Le preguntaré. Gran Roca, ¿eres tú la más fuerte de todos?

GRAN ROCA: No, no soy la más fuerte.

HORMIGUITA ROJA: ¿Quién es más fuerte que tú?

GRAN ROCA: Tú eres más fuerte. Cada día tú y las otras Hormigas Rojas vienen y se llevan pequeños trocitos de mí. Algún día voy a desaparecer completamente.

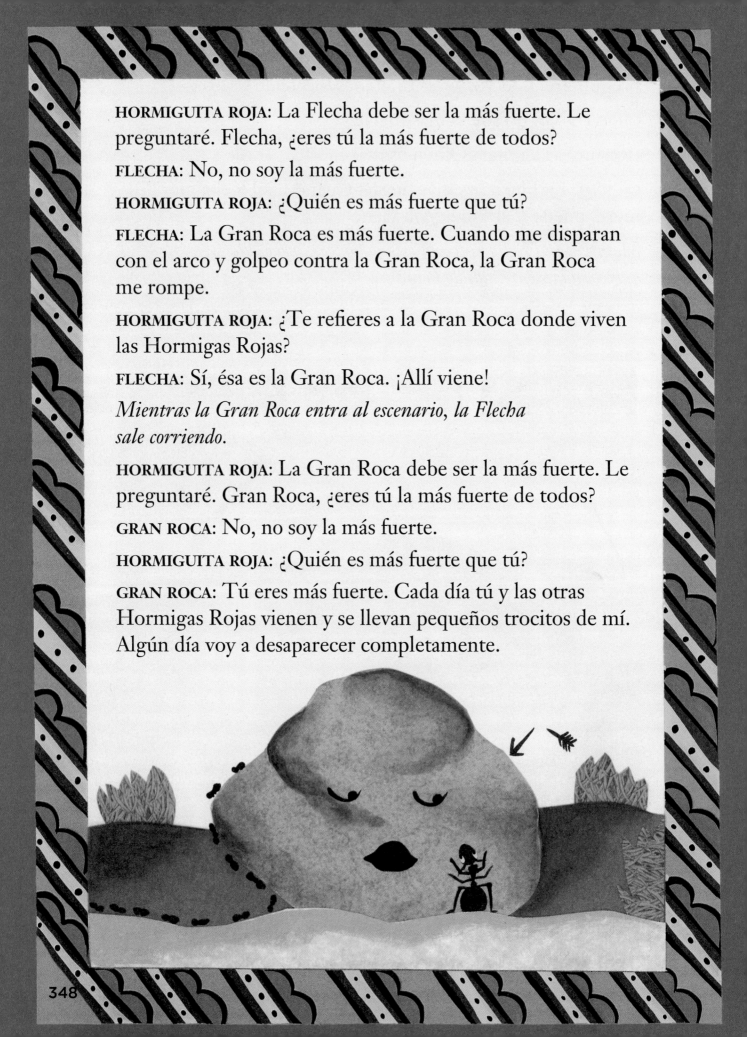

Escena III: El hormiguero

NARRADOR: Entonces la Hormiguita Roja volvió a su casa y habló al pueblo de las hormigas.

Se ve un grupo de hormigas en cuclillas en el escenario oscurecido.

SEGUNDA HORMIGA: La Hormiguita Roja ha vuelto.

TERCERA HORMIGA: ¡Ha regresado viva!

CUARTA HORMIGA: Cuéntanos lo que has aprendido. ¿Quién es el más fuerte de todos?

HORMIGUITA ROJA: Aprendí que siempre hay alguien más fuerte que otro. Y aunque nosotras, las hormigas, somos pequeñas, en algunos casos *nosotras* somos las más fuertes.

Resumir

¿Qué descubrió la Hormiguita Roja acerca de quién es el más fuerte?

¿Quién es más fuerte que
Joe y Lucía?

AUTOR

JOSEPH BRUCHAC fue criado por sus abuelos indígenas americanos en las montañas Adirondack. Desde pequeño, Joseph quiso compartir historias sobre su herencia. Cuando creció, empezó a escribir cuentos tradicionales de su pueblo. Un día, cuando Joseph estaba leyendo uno de sus libros en público, empezó a relatar el cuento de memoria, igual que lo hacían los narradores indígenas hace mucho tiempo. Ahora Joseph escribe y relata sus cuentos.

ILUSTRADORA

LUCÍA ÁNGELA PÉREZ conoció el mundo del arte a una edad temprana. Su madre era pintora y tenía un negocio de cerámica. Lucía se inició como ilustradora cuando terminó un libro que había empezado su madre. Desde entonces, Lucía trabaja como ilustradora. Ahora vive con su familia en Texas.

Conéctate

Busca información sobre Joseph Bruchac y Lucía Ángela Pérez en **www.macmillanmh.com**

Propósito del autor

¿Escribió Joseph Bruchac *El más fuerte* para informar o entretener al lector? Nombra tres detalles que te den las pistas para saber el propósito del autor.

Pensamiento crítico

Resumir

Usa tu diagrama del cuento como ayuda para resumir *El más fuerte.* Incluye información sobre los personajes, el ambiente y los sucesos al principio, en el desarrollo y al final de la obra de teatro.

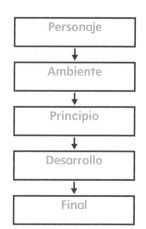

Personaje
↓
Ambiente
↓
Principio
↓
Desarrollo
↓
Final

Pensar y comparar

1. ¿Qué detalles de la escena se necesitan para **resumir** la idea principal de la historia? **Hacer preguntas: Resumir**

2. ¿Qué aprendió la Hormiguita Roja al final de la obra? Usa los detalles del cuento para explicar cómo los personajes se pueden sentir fuertes y **débiles** a la vez. **Sintetizar**

3. ¿Puedes identificar algo más *grande* pero más *débil* que tú? Explica tu respuesta. **Aplicar**

4. La Hormiguita Roja aprende una lección acerca de ser el más fuerte. ¿Por qué es importante que la gente aprenda esta lección? Explica tu respuesta. **Evaluar**

5. Lee "El Viento y el Sol" en las páginas 334 y 335. Describe las diferentes maneras en que el Viento, el Sol y la Hormiguita Roja resuelven sus problemas. **Leer/Escribir para comparar textos**

La Osa Mayor

Guadalupe V. López

En una noche clara y sin luna puedes mirar al cielo y ver las estrellas que centellean relucientes. ¿Has notado que algunas estrellas son más brillantes que otras y que están apiñadas en grupos?

Hace miles de años, algunas personas estudiaron las estrellas e inventaron cuentos sobre ellas. Estas personas imaginaron que algunos grupos de estrellas formaban figuras. Se imaginaron figuras de animales, objetos y personas. Estos grupos de estrellas que forman figuras se llaman **constelaciones**. Uno de los grupos de estrellas más famosos es la **Osa Mayor**.

Sigue las estrellas

Hace mucho tiempo, la gente usaba un **cazo** para beber agua. Un cazo tiene un mango largo y un recipiente, como un vaso. La Osa Mayor también se llama el Cazo, porque tiene esa forma y es una constelación importante por su posición en el cielo.

Las dos estrellas que forman la parte de adelante del Cazo se llaman "estrellas indicadoras". Estas estrellas apuntan hacia la **Estrella Polar**. En la antigüedad, los capitanes de barcos usaban la Estrella Polar como una **brújula** para guiarse.

Busca la Estrella Polar

Leer un diagrama

En este diagrama puedes ver la figura de la Osa Mayor. Intenta localizarla en una noche despejada. Sigue las estrellas indicadoras hasta llegar a la Estrella Polar.

Estrella Polar

Osa Mayor

Una brújula en el cielo

La Osa Mayor ha servido como brújula, pero también ha servido como calendario en el cielo. La Osa Mayor gira alrededor de la Estrella Polar durante las estaciones. Lee cómo la Osa Mayor te puede ayudar a identificar las estaciones.

En verano, la Osa Mayor está a la izquierda de la Estrella Polar. El mango del Cazo está levantado, como una planta de maíz que se mece con la brisa del verano.

En primavera, la Osa Mayor está sobre la Estrella Polar. Parece que el Cazo está dejando caer semillas a la tierra.

Primavera

Verano

Estrella Polar

Otoño

Invierno

En otoño, el "vaso" del Cazo está mirando hacia el cielo. La Osa Mayor parece una carretilla. ¿Te la imaginas llena de maíz después de la cosecha?

En invierno, la Osa Mayor está a la derecha de la Estrella Polar. El mango del Cazo cuelga hacia abajo.

Una leyenda iroquesa

En la antigüedad, muchas culturas inventaron relatos para explicar por qué algunos grupos de estrellas parecen moverse en el cielo con los cambios de estación.

Se dice que hace mucho tiempo en un lugar lejano, un grupo de cazadores iroqueses perseguían a un oso por los bosques. De pronto, los iroqueses se encontraron frente a unos gigantes. Los gigantes atacaron a los iroqueses. Sólo tres cazadores sobrevivieron. Entonces, los tres iroqueses y el oso fueron transportados al cielo. Allí, la caza continúa hasta hoy en día en la Osa Mayor. Las tres estrellas que forman el mango del cazo representan los tres cazadores iroqueses. Las cuatro estrellas que forman el recipiente del cazo representan el oso.

✔ Pensamiento crítico

1. Mira el diagrama. Halla las estrellas que te ayudan a encontrar la Estrella Polar. Explica cómo estas estrellas te ayudan a encontrar la Estrella Polar. **Leer un diagrama**

2. ¿Cómo crees que la Osa Mayor ayudó a las personas en la antigüedad cuando querían saber sobre las estaciones? **Analizar**

3. Compara "Una leyenda iroquesa" y *El más fuerte*. ¿En qué se parecen los cazadores iroqueses a los personajes en *El más fuerte*? Apoya tu respuesta con detalles de los dos textos. **Leer/Escribir para comparar textos**

 Ciencias

Investiga otra constelación. Haz un diagrama de esa constelación en una noche estrellada. Rotula las estrellas más importantes.

 Busca información sobre la Osa Mayor en **www.macmillanmh.com**.

Escritura

Desarrollo del personaje: Credibilidad

Los buenos escritores hacen que sus **personajes sean creíbles** a través de sus pensamientos, diálogos y acciones.

Conexión: Lectura y escritura

Lee el siguiente pasaje. Observa cómo el autor Joseph Bruchac crea una hormiga que parece tener ideas propias.

El autor enumera a todas las hormigas excepto a Hormiguita Roja. Esa hormiga parece tener algo que decir que todos quieren saber.

Pasaje de
El más fuerte

NARRADOR: Entonces la Hormiguita Roja volvió a su casa y habló al pueblo de las hormigas.

SEGUNDA HORMIGA: La Hormiguita Roja ha vuelto.

TERCERA HORMIGA: ¡Ha regresado viva!

CUARTA HORMIGA: Cuéntanos lo que has aprendido. ¿Quién es el más fuerte de todos?

HORMIGUITA ROJA: Aprendí que siempre hay alguien más fuerte que otro. Y aunque nosotras, las hormigas, somos pequeñas, en algunos casos *nosotras* somos las más fuertes.

EL MÁS
FUERTE

Obra de teatro zuni
Joseph Bruchac
ilustraciones de Lucía Ángela Pérez

Lee y descubre

Lee lo que escribió Alicia. ¿Cómo hizo Alicia para que Rosana fuera un personaje creíble? Usa el control de escritura como ayuda.

El cumpleaños de Rosana
Alicia M.

Rosana encontró la caja debajo de la cama y la desenvolvió. ¡Era el horno de juguete que quería! Rosana tenía mucha imaginación. Se imaginaba que si tenía un horno de juguete podría cocinar como la gente en la televisión. Se imaginaba entrando en un gran escenario con un gorro de chef. ¡Rosana siempre quiso llevar ese gorro!

Lee mi historia sobre el regalo de Rosana.

Control de escritura

✓ ¿Mostró la autora pensamientos, diálogos o acciones de Rosana?

✓ ¿Hizo la autora que Rosana sea un **personaje creíble**?

✓ ¿Puede el lector imaginarse a Rosana como una persona real?

A platicar

¿Cuáles son las diferentes maneras de contar una historia? ¿Qué nos enseñan las historias?

Conéctate

Busca información sobre contar cuentos en **www.macmillanmh.com**

Cuentos de TRAMPOSOS

Vocabulario

imaginativo

investigar

astuto

mayoría

técnica

Los niños disfrutan de los cuentos en Jonesboro.

Contar cuentos

¿Te gusta escuchar cuentos? Entonces, Jonesboro, Tennessee, es el lugar para ti. Allí es donde se celebra cada año, desde 1973, el Festival Nacional de Cuentistas. Los fundadores del festival querían que la gente disfrutara del arte de contar cuentos. Hoy, más de 10,000 visitantes ríen y lloran mientras escuchan a los **imaginativos** cuentistas.

¿Por qué contar cuentos es tan popular? Los cuentos hablan de nuestro pasado y quizás de nuestro futuro.

La cuentista Brenda Wong Aoki, de California, dice: "Hace mucho tiempo, cuando no había libros ni televisión, eran los cuentistas los que explicaban por qué hay estrellas en el cielo, por qué reímos y lloramos".

"Cualquiera puede ser un buen cuentista. Todos lo hacemos cada día", dice Syd Lieberman, un cuentista de Chicago. Una **técnica** para contar cuentos es describir tu vida diaria. Syd dice: "Cuando dices: 'Mamá, escucha lo que pasó hoy', estás empezando un cuento".

LOS 5 LIBROS FAVORITOS DE LOS NIÑOS

¿Cuál es el mejor libro que has leído? Aquí hay algunos favoritos. Quizás quieras **investigar** las obras de algunos de estos escritores.

Título del libro	Autor	Fecha de la primera edición
1. Harry Potter (serie)	J.K. Rowling	1997
2. Escalofríos (serie)	R.L. Stine	1992
3. *Huevos verdes con jamón*	Dr. Seuss	1960
4. *El gato en el sombrero*	Dr. Seuss	1957
5. Arturo (serie)	Marc Brown	1976

Sondeo basado en 1,800 estudiantes de entre 7 y 15 años. Fuente: *National Education Association*

Los grandes

Si hubiera un salón de la fama de cuenta cuentos, estas personas inteligentes y **astutas** estarían en él. ¡Escucha!

Homero En la Grecia antigua se contaban muchas historias sobre dioses y héroes. Un poeta ciego llamado Homero volvió a contarlas en sus propias palabras. Sus libros la *Ilíada* y la *Odisea*.

Esopo También en la Grecia antigua, un esclavo llamado Esopo inventó fábulas fantásticas con una moraleja o enseñanza. Los personajes son animales, como los de *La tortuga y la liebre*.

Hans Christian Andersen En el siglo XIX, Hans Christian Andersen escribió y contó cuentos a los niños de muchos pueblos, cuentos como *La princesa y el guisante* o *El patito feo*. La **mayoría** de sus cuentos estaban inspirados en relatos folclóricos.

361

Comprensión

Género

Los artículos de **no ficción** dan información sobre gente, lugares y cosas reales.

✔ Hacer preguntas

Comparar y contrastar
Cuando un autor compara dos temas o dos ideas suele usar palabras que lo indican, como *parecido* o *diferente*.

Cuentos de tramposos

¿Cómo explican los cuentistas nuestro mundo?

¿De dónde viene el viento? ¿Por qué existe la noche? ¿Por qué tiene manchas un leopardo? Hoy en día los científicos **investigan** y responden a preguntas como éstas. Pero hace mucho tiempo, las personas inventaban relatos para explicarse el mundo. Algunos de esos relatos fueron llamados cuentos de tramposos.

¿Qué es un tramposo?

Un tramposo es un personaje de un cuento. El tramposo usa su astucia para lograr lo que quiere. A veces el tramposo engaña a otros personajes. Otras veces él es el engañado. Un tramposo no siempre tiene el mismo nombre, ni siquiera el mismo aspecto. El tramposo suele ser un animal con cualidades humanas, por ejemplo un coyote, un zorro, una tortuga o una araña.

Animales tramposos

Como un actor que tiene papeles diferentes en diferentes películas, el tramposo tiene muchos papeles. Por ejemplo, el personaje tramposo varía en las historias de los indígenas americanos. Puede ser un coyote **astuto** en un relato de la nación Crow. También puede ser un cuervo valiente en una historia de la región Noroeste del Pacífico. O puede ser una araña vestida con ropa de piel de venado en un relato del Territorio Lakota.

¿Cómo se transmiten estos cuentos?

Los cuentos de tramposos de los indígenas americanos no estaban escritos, se transmitieron oralmente. Los relatos pasaban de un narrador a otro. Sin embargo, cada narrador pone su granito de arena en el relato.

Los relatos orales son diferentes de los relatos escritos. Estos, al estar escritos, no cambian. Así, pueden pasar de una generación a otra. Los relatos orales son diferentes porque pueden cambiar con el tiempo. Un narrador de relatos no siempre recuerda un cuento palabra por palabra. El narrador puede recordar partes importantes del principio, del desarrollo y del final del relato. Por eso, no hay dos relatos que se cuenten igual.

El cuentista Robert Greygrass tiene raíces lakotas y cheroquíes.

Cuentistas indígenas americanos

Robert Greygrass es un indígena americano contador de cuentos nacido en California. Greygrass ha participado en muchos eventos de contar cuentos, como el Festival de Cuentistas Bay Area en El Sobrante, California. Un niño de 10 años, Patrick Whamond, dijo: "Greygrass fue increíble. Contó relatos sobre animales y sobre cómo las cosas llegaron a ser como son".

Al igual que otros cuentistas, Greygrass usa cuentos **imaginativos** para enseñar, inspirar y divertir a las personas. Él cuenta muchas historias sobre los indígenas americanos. Algunos de sus cuentos también describen el lugar de las personas en el universo.

Rosa Alce Rojo, o Mujer Pluma Roja, es otra indígena americana que cuenta cuentos. Ella nació en una reserva en Poplar, Montana. Cuando Rosa era niña, su padre y su abuelo le contaban relatos sobre sus antepasados. Ahora, Rosa es una cuentista de éxito, y dice: "Los relatos servían para enseñar; enseñaban cosas que había que saber sobre la vida y la historia de la gente".

La **mayoría** de los relatos de Rosa son de las tribus siux y assiniboine. A diferencia de otros cuentistas, Rosa usa música en sus narraciones. Ella usa esta **técnica** para hacer sus relatos aún más entretenidos.

Tramposos de todo el mundo

Los indígenas americanos no son los únicos que narran relatos de tramposos. Hay relatos de tramposos en muchos países. En Corea, el tramposo aparece en un cuento llamado "El tigre ingrato", y los niños de la India escuchan el cuento de "El pez que era demasiado listo".

El tramposo tiene un papel importante en las tradiciones populares estadounidenses. Riccardo Salmona, que trabajó en el Museo American Folk Art, en la ciudad de Nueva York, dice: "Los relatos de tramposos pueden transmitir muchas cosas de una generación a otra: bromas, instrucciones sobre cómo honrar a los muertos, figuras retóricas del lenguaje...". Y añade: "Estos relatos forman parte de nuestras comunidades".

Mujer Pluma Roja

✔ Pensamiento crítico

1. Compara la narración de los relatos de la Mujer Pluma Roja con la de Robert Greygrass. ¿En qué se parecen? ¿En qué se diferencian?

2. Nombra tres animales que sean personajes tramposos de cuentos.

3. ¿Por qué crees que muchas personas disfrutan más al escuchar cuentos que al leerlos?

4. ¿Crees que Robert Greygrass estaría de acuerdo con las palabras de Brenda Wong Aoki en "Cuentacuentos"? ¿Por qué?

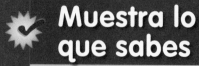

Muestra lo que sabes

Pensar y buscar

La respuesta está en más de un lugar. Sigue leyendo para hallar la respuesta.

Voces del pasado

Al final de la Guerra Civil de Estados Unidos, unos cuatro millones de esclavos africanos fueron liberados. Entre 1932 y 1975, algunos grabaron sus historias. Ahora es posible escuchar veintitrés de estas historias.

Las grabaciones aparecen en el sitio de Internet de la Biblioteca del Congreso. En ellas puedes escuchar a narradores que hablan de sus experiencias como esclavos. Muchos hablan del trabajo que hacían, de sus familias y de cómo se sentían. Otros hablan de sus vidas tras ser liberados, viviendo como hombres y mujeres libres.

Isom Moseley era niño cuando fue liberado. Él recuerda que las cosas cambiaron lentamente. Moseley dice: "Pasó un año antes de que las personas supieran que eran libres".

Michael Taft es el director de la biblioteca del archivo de cultura folclórica. Él dice que las grabaciones permiten conocer detalles que las historias escritas no tienen. Taft dice: "Lo que nos ayuda a entender la historia, es cómo se dicen las cosas".

Un investigador entrevistó a Isom Moseley en 1941.

INSTRUCCIONES
Decide cuál es la mejor respuesta para cada pregunta.

1 Mira el diagrama con información del párrafo acerca de los antiguos esclavos africanos

El trabajo que hicieron

Sus familias

Grabaciones del pasado

Cómo se sentían

¿Qué información completa el óvalo vacío?

- (A) Sus esperanzas y sueños
- (B) Cuándo y dónde nacieron
- (C) Su vida en libertad
- (D) Volver a África para vivir allí

---

2 ¿Cuándo grabaron sus historias los narradores?

- (A) Al final de la Guerra Civil de Estados Unidos.
- (B) Desde finales de la Guerra Civil hasta 1932.
- (C) Cuando eran niños.
- (D) Entre 1932 y 1975.

3 Las grabaciones que narran la vida de las personas son importantes porque —

- (A) demuestran que las historias escritas dicen más que las grabaciones.
- (B) permiten que las personas cuenten sus historias con sus propias palabras.
- (C) ayuda a recordar a las personas que las cosas cambian con lentitud.
- (D) pueden hallarse en el sitio de Internet de la Biblioteca del Congreso.

A escribir

Muchas personas ayudan a los animales y al medio ambiente.

Piensa cómo podrías ayudarlos.

Ahora escribe para <u>explicar cómo</u> ayudarías.

La escritura expositiva explica, define o cuenta cómo hacer algo.

Para saber si las pautas te piden usar la escritura expositiva busca palabras clave, como <u>explica cómo</u> o <u>cuenta cómo</u>.

Lee el escrito de un estudiante que sigue las pautas anteriores:

El escritor incluye información y detalles importantes que se refieren a la idea principal.

La Reserva Natural es un lugar que trabaja para que nuestra ciudad esté limpia y sea segura para los pájaros y otros animales.

Todos los fines de semana, la Reserva muestra a los niños cómo pueden ayudar. Una de las cosas que se pueden hacer es construir casas para pájaros. En mi ciudad hay muchos pájaros. Al hacer casas, ayudamos a la población de pájaros. La Reserva Natural también enseña a entender el medio ambiente. ¡Nuestra ciudad es un lugar especial y tenemos que ayudar a mantenerla!

Sugerencias para escribir

Sigue las instrucciones del recuadro. Escribe durante 15 minutos todo lo que puedas y lo mejor que puedas. Lee las pautas antes de escribir y revísalas cuando termines tu escrito.

Todos tenemos algún tema que nos importa mucho.

Piensa en algo que te importe mucho.

Ahora escribe una carta para persuadir a otras personas para que piensen como tú.

Pautas para escribir

- ☑ Lee atentamente las pautas.
- ☑ Organiza tus ideas para planear el texto.
- ☑ Apoya tus ideas contando más detalles sobre cada una.
- ☑ Usa varios tipos de oraciones.
- ☑ Elige palabras que ayuden a los demás a entenderte.
- ☑ Revisa y corrige tu texto.

Cuentos de aquí y allá

Roja y sus amigos

Marilyn MacGregor

Una gallinita llamada Roja vivía en una ciudad. Roja y sus amigos hacían todo juntos. Un día, Roja y su amiga, la gata Fiona, fueron de compras. Pasaron por un terreno lleno de basura y cubierto de hierba. La gallinita Roja sonrió.

—¿No sería este terreno un sitio **magnífico** para hacer una huerta? —preguntó.

—¿Has perdido la chaveta? —maulló Fiona, mirando a la gallinita como si ésta estuviera loca—. ¡Es un desastre!

—Tendríamos que limpiarlo, por supuesto —dijo Roja. Llamó a Ricardo para pedirle una mano.

—Lo siento. Tengo una cita con el dentista —ladró Ricardo, y se alejó meneando la cola.

Roja se sintió decepcionada, y Fiona le dijo:

—Al mal tiempo, buena cara. Yo te ayudaré.

Roja y Fiona limpiaron el terreno. Después llegó el momento de sembrar las semillas.

—Me gustaría poder ayudarlas —dijo Ricardo—, pero tengo que desenterrar huesos.

—Yo la estoy ayudando —dijo Fiona, moviendo la cabeza ante la actitud del perro.

Roja y Fiona plantaron frijoles, zanahorias y calabazas. Pronto las semillas crecieron y embellecieron la huerta. ¡Era una **obra maestra**! La gallinita Roja pidió ayuda a sus amigos para limpiarlo y regarlo. Sólo Fiona tuvo tiempo para ayudarla. Cuando llegó el momento de recoger las verduras, Roja y Fiona hicieron solas el trabajo.

—Prepararé la cena. Cada una de las verduras será un **ingrediente** en mis **recetas**. Cocinaré guiso de verduras y pastel de calabaza —dijo Roja saboreándolos ya—. Son platos muy **sabrosos**.

Ricardo pasaba por allí justo en ese momento.

—Me daría mucho gusto cenar contigo —dijo.

—No ayudaste a limpiar, a regar ni a cosechar. ¿Qué te hace pensar que estás invitado? —preguntó Fiona.

Roja asintió con firmeza. Por supuesto que Fiona estaba invitada, y todo estuvo delicioso.

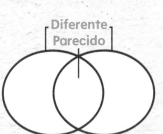

Volver a leer para **comprender**

Hacer inferencias y analizarlas

Comparar y contrastar

Al **comparar** y **contrastar** dices en qué se parecen y en qué se diferencian las personas, las cosas o los sucesos del cuento. Hacer inferencias te ayuda a comparar y contrastar los personajes.

Diferente
Parecido

Vuelve a leer la selección. Usa tu diagrama de Venn para comparar a Fiona y a Ricardo. Al leer piensa en las acciones y los sentimientos de cada uno.

Comprensión

Género

Un cuento de **fantasía** es una historia con personajes inventados que no puede suceder en la vida real.

Hacer inferencias y analizarlas

Comparar y contrastar
Al leer, usa tu diagrama.

Diferente
Parecido

Lee para descubrir

¿Quién prueba primero el pastel?

¡Co-coró-co-cocina!

Janet Stevens y
Susan Stevens Crummel
ilustraciones de Janet Stevens

Selección
premiada

El magnífico pastel
de fresas de
la gallinita Roja

Pic. Pic. Pic.

"¡Siempre alimento para pollos! Día tras día, año tras año. ¡Ya estoy cansado!", dijo el gran gallo marrón. "¿Podemos comer algo diferente alguna vez? ¿Por favor? Nadie escucha. ¿Qué debe hacer un gallo hambriento?"

"No hay esperanzas. Un momento..." El gallo recordó una historia que solía contar su mamá, una historia transmitida de pollo a pollo. La historia de su famosa bisabuela, la gallinita Roja.

El gallo entró rápidamente en el gallinero.

"Debe estar por aquí", dijo. Buscó por todas partes, y finalmente allí estaba, escondido bajo un nido, su libro de cocina: *La dicha de cocinar a solas*, de gallinita Roja.

El gallo pasó cuidadosamente las páginas. "¡Tantas **recetas**, y yo que pensaba que sólo hacía pan! ¡Vean el pastel de fresas!"

"¡Eso es! Haré el más maravilloso, el más **magnífico** pastel de fresas del mundo. ¡No más alimento para pollos!"

"¡Sí, señorrr, seré un gran cocinero, igual que mi bisabuela! ¡CO-CORÓ-CO-COCINA!", cantó el gallo rumbo a la gran granja.

Comparar y contrastar
¿En qué se parece el gallo a su bisabuela?

377

—¿Co-coró-co-*cocina*? —dijo el perro.

—¿Has perdido la chaveta, gallo? —preguntó el gato.

—¡Nunca has cocinado nada! —dijo el ganso.

—Eso no importa —respondió el gallo—. Cocinar está en mi sangre, es una tradición de familia. Ahora bien, ¿quién me ayudará?

—Yo no —dijo el perro.

—Yo no —dijo el gato.

—Yo no —dijo el ganso.

Y se alejaron.

El gallo abrió la puerta de la cocina de un empujón. "Parece que estoy solo… igual que mi bisabuela." Suspiró y se puso el delantal.

—Nosotros te ayudaremos.

El gallo se volvió, y allí estaban la tortuga, la iguana y el cerdo barrigón.

—¿Saben algo sobre cocina ustedes tres? —preguntó el gallo.

—¡Yo sé leer recetas! —dijo la tortuga.

—¡Yo puedo conseguir **ingredientes**! —dijo la iguana.

—¡Yo puedo probar la comida! —dijo el cerdo—. Soy un experto probador.

—Entonces somos un equipo —declaró el gallo—. ¡Preparémonos y empecemos a cocinar!

La tortuga leía el libro de cocina.

—Calentar el horno a 450 grados.

—¡Yo puedo hacer eso! —dijo la iguana—. Miren, giraré la perilla: 150, 250, 350, 450. ¡Eh, cocinar es fácil!

El gallo puso una vasija grande sobre la mesa.

—¿Cuál es nuestro primer ingrediente? —preguntó.

—La receta indica que necesitamos harina de flor —dijo la tortuga.

—¡Yo puedo hacer eso! —dijo la iguana. Corrió afuera y trajo una petunia del jardín—. ¿Qué tal esta flor?

El magnífico pastel de fresas de la gallinita Roja

Un libro de cocina da instrucciones para preparar muchas cosas diferentes para comer. Cada tipo de comida tiene su receta: una lista de todos los ingredientes e instrucciones que indican paso a paso cómo prepararla.

Una de las perillas del horno controla la temperatura. Cuanto más alto sea el número en la perilla, más caliente estará el horno. La temperatura se mide en grados Fahrenheit (°F) o en grados Celsius (°C). En un día de mucho calor, la temperatura puede sobrepasar los 100 °F (38 °C). ¿Puedes imaginar qué se siente con 450 °F (232 °C) de temperatura?

Los ingredientes son las diferentes cosas que se utilizan en una receta. Cada ingrediente puede no ser muy rico por separado, pero combinado con otros y en la forma correcta, el resultado es delicioso.

—No, no, no —dijo el gallo—. No *esa* clase de flor. Necesitamos harina para *cocinar*. Ya sabes, esa cosa blanca y suave que se obtiene del trigo, pero muy refinada.

—¿Puedo probar la harina? —preguntó el cerdo.

—Todavía no, cerdo —dijo la tortuga—. La receta dice que hay que tamizarla antes.

—¿Qué significa *tamizar*? —preguntó la iguana.

—Hmmmm —dijo la tortuga—. Creo que *tamizar* significa 'examinar cuidadosamente'...

Hay que asegurarse de usar una vasija grande que pueda contener todos los ingredientes. Es mejor tener todo preparado antes de empezar a cocinar para no tener que buscar los ingredientes uno por uno, como la iguana.

La harina está hecha de granos de trigo finamente molidos. Hace mucho tiempo, el molido se hacía a mano; en la actualidad, se hace a máquina. La bisabuela del gallo debía moler el grano a mano para transformarlo en harina, pero el gallo y tu familia pueden comprar harina en el supermercado.

Hay muchos tipos de harina en las tiendas: harina de múltiple uso, harina de flor, harina integral, harina de repostería, harina de alta altitud. La receta del gallo requiere harina de flor.

Tamizar agrega aire a la harina, lo que permite medirla con precisión. Algunos tamices funcionan con una manija, otros por un mecanismo a resorte y otros funcionan a batería.

Hay que asegurarse de poner papel de cera en la mesa antes de empezar a tamizar. ¡Hará que la limpieza sea mucho más fácil!

—¿Quieres decir como cuando examino cuidadosamente la basura en busca de mi almuerzo? —preguntó el cerdo.

—¡Yo puedo hacer eso! —dijo la iguana. ¡Y se zambulló dentro de la harina, esparciéndola por todas partes!

—No, no, no —dijo el gallo—. No tamices así la harina. Pásala por el tamiz.

El gallo hizo girar la manija, tamizó la harina y formó una gran pila.

—¿Puedo probar la pila? —preguntó el cerdo.

—Todavía no, cerdo —dijo la tortuga—. Ahora mediremos la harina.

—¡Yo puedo hacer eso! —La iguana agarró una regla y dijo—: La harina tiene una altura de cuatro pulgadas.

—No, no, no —dijo el gallo—. No necesitamos saber la *altura*. Necesitamos saber la *cantidad*. Medimos la harina con esta taza de metal para medir.

—Necesitamos dos tazas —agregó la tortuga—, así que llénala dos veces.

El gallo echó las dos tazas de harina dentro de la vasija.

—¿Puedo probar *ahora*? —preguntó el cerdo.

—Todavía no, cerdo —dijo la tortuga—. Ahora agregamos dos cucharadas soperas de azúcar, una cucharada sopera de polvo para hornear y media cucharadita de té de sal.

Comparar y contrastar

¿En qué se diferencia el cerdo del gallo?

Las tazas para medir ingredientes secos son de metal o plástico, y generalmente vienen en juegos de cuatro: 1 taza, 1/2 taza, 1/3 taza y 1/4 taza. Se toma la taza de medir que tiene la capacidad que se necesita, se mete en el ingrediente seco y se llena. Para quitar el exceso del ingrediente, se pasa el lado recto de un cuchillo por el borde de la taza y se deja caer lo que sobra dentro del envase (¡aunque el cerdo estaría muy feliz si cayera un poquito al piso!).

Los ingredientes secos pueden medirse en tazas o gramos.

1 taza = 227 gramos

2 tazas = 454 gramos

Algunos ingredientes se incluyen por su sabor, pero éste no es el caso del polvo para hornear. ¡Hasta el cerdo piensa que sabe terrible! Cuando se agrega polvo para hornear al pastel, se forman burbujas de gas que aumentan de tamaño a medida que el pastel se hornea, y esto hace que el pastel crezca.

Los ingredientes secos se tamizan todos juntos para que se mezclen uniformemente.

—Yo puedo hacer eso —dijo la iguana, y miró dentro de la sopera—, ¿pero dónde están las cucharas soperas? —Luego miró dentro de la tetera—. ¡Aquí no hay cucharitas de té!

—No, no, no —dijo el gallo—. ¡No mires dentro de la tetera ni de la sopera! Estas cucharas son para medir. Cada una tiene cierta capacidad. —El gallo midió el azúcar, el polvo para hornear y la sal, y los echó dentro de la vasija. Luego tamizó juntos todos los ingredientes secos.

La iguana no estaba tan equivocada cuando buscó las cucharas soperas dentro de la sopera y las cucharitas de té en la tetera. Las cucharas soperas recibieron ese nombre por ser cucharas grandes que se usan para tomar sopa, y las cucharitas de té por ser cucharas pequeñas que se usaban para revolver el té.

3 cucharaditas de té = 1 cucharada sopera = 14 gramos

La mantequilla se hace batiendo crema, la grasa que se encuentra en la leche de vaca. (¡Esto no quiere decir que se obtiene de una vaca gorda!) En lugar de mantequilla, se puede usar margarina. La mantequilla y la margarina vienen en barras y son fáciles de medir porque sus envolturas están marcadas en cucharadas soperas.

1 barra de mantequilla = 1/2 taza = 8 cucharadas soperas = 113 gramos

La mantequilla y la margarina son dos tipos de materia grasa sólida que se usan para cocinar.

La mantequilla fría se incorpora a los ingredientes secos cortándola sobre ellos con dos cuchillos o con un mezclador de masa. Se corta la mantequilla en trocitos pequeños.

—Eso se ve terriblemente blanco —dijo el cerdo—. Mejor lo pruebo.

—Todavía no, cerdo —dijo la tortuga—. Ahora agregamos la mantequilla. Necesitamos una barra.

—Yo puedo hacer eso —dijo la iguana. Corrió al garaje y tomó una barra de acero—. ¿Qué les parece esta barra?

—No, no, no —dijo el gallo—. No *esa* clase de barra. Una barra de *mantequilla*. El gallo desenvolvió la mantequilla y la dejó caer dentro del cuenco.

—Esa mantequilla está allí quieta como un tronco —dijo el cerdo—. Tal vez debería probarla.

—Todavía no, cerdo —dijo la tortuga—. Ahora cortamos la mantequilla.

—Yo puedo hacer eso —dijo la iguana—. Oh, estas tijeras no cortan muy bien la mantequilla.

—No, no, no —dijo el gallo—. No cortes la mantequilla con tijeras. Usa estos dos cuchillos, así.

El gallo cortó la mantequilla en trocitos y la incorporó hasta que se formaron migas como de pan.

—Eso parece extremadamente seco —dijo el cerdo—. Tal vez debería probarlo.

—Todavía no, cerdo —dijo la tortuga—. La receta dice que ahora debemos batir un huevo.

—Yo puedo hacer eso —gritó la iguana.

—No, no, no —dijo el gallo—. ¡No batas el huevo con un bate de béisbol! Se usa un batidor de huevos. El gallo rompió cuidadosamente un huevo en un plato, lo batió con el batidor de huevo y lo echó dentro del cuenco grande.

—Eso parece sabroso —dijo el cerdo—. Por favor, déjenme probar.

—Todavía no, cerdo —dijo la tortuga—. Ahora agregamos la leche. Necesitamos dos tercios de taza.

Para romper un huevo, se golpea suavemente la cáscara contra el borde de un recipiente para producirle una pequeña rajadura. Se colocan ambos pulgares en la rajadura y se separa la cáscara. Siempre se rompe el huevo en un recipiente pequeño antes de agregarlo a los demás ingredientes, por si acaso estuviera en mal estado o cayeran pedacitos de cáscara. Los huevos agregan color y sabor, y ayudan a mantener unida la mezcla.

Se pueden batir huevos con un tenedor, una batidora manual (como la del gallo) o una batidora eléctrica. Si se usa una batidora eléctrica, hay que asegurarse de poner los huevos en una vasija grande y de empezar a una velocidad baja. Si se empieza poniendo la batidora a una velocidad alta, ¡el huevo salpicará en la cara!

Las tazas medidoras de líquidos son de vidrio o plástico. Para que no se derrame el líquido, cada una tiene un pico y un espacio extra para que no se tenga que llenar hasta el borde. Siempre hay que poner la taza sobre una superficie plana y medir a la altura de la vista.

Se unta con mantequilla el molde para que el pastel no se pegue.

El gallo está batiendo la mezcla a mano, lo que implica usar una cuchara en lugar de una batidora. (¿Cómo mezclaría a mano la iguana?)

—Yo puedo hacer eso —dijo la iguana—. Toma, sostén esta taza medidora de vidrio y yo le cortaré un tercio. Usaremos los dos tercios restantes para medir la leche.

—Espera —dijo el cerdo—. ¿Por qué no llenamos la taza medidora hasta el borde y yo bebo un tercio?

—No, no, no —dijo el gallo—. La taza tiene marcas: 1/3, 2/3 y 1 taza. La llenaremos hasta la marca de 2/3. El gallo echó la leche dentro de la vasija.

—¡Seguramente es necesario que la pruebe ahora! —dijo el cerdo.

—Todavía no, cerdo —dijo la tortuga—. Ahora mezclamos la masa y la ponemos en el molde. —El gallo revolvió y estiró mientras la tortuga leía: "Cocinar en el horno de quince a dieciocho minutos".

—Yo puedo hacer eso —gritó la iguana, colocando el molde dentro del horno—. Veamos, quince minutos equivalen a novecientos segundos. Los contaré. Uno, dos, tres, cuatro...

—No, no, no —dijo el gallo, y puso el cronómetro para que la iguana dejara de contar los segundos. El cerdo se quemó la lengua con la puerta del horno tratando de probar el pastel. La tortuga tomó el libro de cocina para saber qué tenían que hacer a continuación.

—Cortemos las fresas y batamos la crema —dijo la tortuga.

Hay que asegurarse de estar cerca para escuchar la alarma del cronómetro cuando el pastel esté listo. El tiempo de cocción está dado en horas, minutos o segundos.

1 hora = 60 minutos

1 minuto = 60 segundos

Se lavan primero las fresas y se les quitan las hojitas. Se usa una tabla de cortar y se corta cada fresa por la mitad, y luego cada mitad por la mitad. (¿Cuántos pedazos hay ahora?) ¡Dile a la persona mayor que esté cortando que tenga cuidado con los dedos!

La crema batida viene de la leche de vaca. Contiene más grasa que la crema común. La iguana pensaría que se usa un bate para batir la crema, pero se usa una batidora manual o eléctrica.

Cuando se saque algo del horno, la persona mayor que lo haga debe asegurarse de usar una agarradera o un guante de horno.

Un truco para saber si el pastel está listo: se pincha el centro del pastel con un palillo o un cuchillo. Si sale limpio, sin que la masa se pegue, el pastel está listo.

¡No hay que olvidarse de apagar el horno al terminar!

Y cortaron y cortaron, y batieron y batieron hasta que… *¡ring!*

El gallo tomó el guante de horno de la cabeza de la iguana y con cuidado sacó el pastel del horno.

—Oh, es hermoso, y huele *taaan* bien —dijo el cerdo—. Sé que tengo que probarlo ahora.

—Todavía no, cerdo —dijo la tortuga—. Debemos dejar que se enfríe.

Cuando el pastel estuvo listo para ser cortado, el gallo lo cortó por la mitad.

Colocaron una capa de pastel, una capa de crema batida y una capa de fresas.

Luego, otra vez: pastel, crema y fresas.

Se veía exactamente igual al pastel de fresas del libro de cocina.

—Éste es el más maravilloso y magnífico pastel de fresas de todo el mundo —dijo el gallo—. ¡Si mi bisabuela pudiese verme ahora! Llevémoslo a la mesa.

—Yo puedo hacer eso —gritó la iguana.

Le dio un tirón al plato. El pastel se inclinó...
y se deslizó...

¡Patapum!

Derecho al piso.

—¡Ahora es mi turno de probarlo! —dijo el cerdo,
ya listo.

En una fracción de segundo, el pastel desapareció.
Hasta la última miga había ido a dar a la panza del cerdo.

—¡Nuestro pastel! —gritó la iguana—. ¡Te
lo comiste!

—Pensé que me tocaba a mí —dijo el cerdo—. Soy
quien debía probarlo, ¿recuerdan? ¡Y sabía muy rico!

—Pero era nuestra **obra maestra** —gimió la tortuga.

—Y estaba muy **sabroso** —dijo el cerdo—. Ahora
podemos hacer otra cosa.

—Sí... —dijo la iguana con una mirada furiosa—.
¿Qué les parecería un jugoso y regordete cerdo asado?

El cerdo dio un grito ahogado.

—¿Cerdo asado? ¡Qué tal una cazuela de iguana o...
o una sopa de tortuga!

—No, no, no —gritó el gallo—. ¡Escúchenme! Hicimos este pastel en equipo, y los equipos trabajan juntos.

—¡Pero el cerdo se lo comió! —gimoteó la tortuga.

—La iguana lo dejó caer —dijo el cerdo.

—La tortuga debió atraparlo —refunfuñó la iguana.

—No tiene importancia —dijo el gallo—. El primer pastel fue para practicar. El segundo no será tan difícil de hacer.

—Bien —agregó la tortuga—, no debemos preocuparnos por desordenar la cocina. Ya está desordenada.

—Entonces, ¿quién me ayudará a hacer otro pastel?

El cerdo, la tortuga y la iguana se miraron.

—¡Yo te ayudaré! —dijo el cerdo.

—¡Yo te ayudaré! —dijo la tortuga.

—¡Yo te ayudaré! —dijo la iguana.

—¡Co-coró-co-cocinaaaa! —cantó el gallo—.

Entonces, pongámonos otra vez a cocinar.

Juntos hicieron el segundo más maravilloso y magnífico pastel de fresas de todo el mundo. ¡Y fue mucho más fácil que la primera vez!

¿Qué están cocinando Janet y Susan?

Janet Stevens y Susan Stevens Crummel

Las autoras **Janet Stevens** y **Susan Stevens Crummel** no eran muy amigas de niñas pero en la actualidad se divierten trabajando juntas, tanto como lo hacen los animales en su cuento.

Son hermanas y a las dos les gustan los animales. Los libros favoritos de Janet cuando era niña eran sobre animales. Aún sigue leyendo cuentos de animales. A Janet le gusta contar de una nueva manera viejas historias, como en este cuento. Las hermanas escribieron este libro juntas. Luego, Janet creó las ilustraciones. Ella dibuja desde que era niña.

Busca información sobre Janet Stevens y Susan Stevens Crummel en **www.macmillanmh.com**

✔ Propósito de las autoras

¿Cuál fue el propósito de las autoras al escribir *¡Co-coró-co-cocina!*? ¿Querían informar o entretener? ¿Cómo lograron su objetivo?

398

✔ Pensamiento crítico

Resumir

Resume lo que sucede en *¡Co-coró-co-cocina!* Usa un diagrama de Venn para comparar al cerdo y al gallo. Compara y contrasta estos personajes, describe sus personalidades y sus acciones en el cuento.

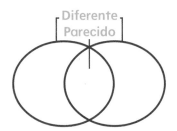

Pensar y comparar

1. **Compara** y **contrasta** al gallo, el personaje principal, cómo era al principio y cómo era al final de la historia. Usa detalles del cuento en tu respuesta. **Hacer inferencias y analizarlas: Comparar y contrastar**

2. ¿Qué personaje es el más útil para el gallo? Explica tu respuesta con información del cuento. **Analizar**

3. Supón que quieres hacer un pastel. ¿A cuál de los personajes del cuento le pedirías que te ayude? ¿Por qué? **Aplicar**

4. ¿Por qué es importante seguir las instrucciones cuando se hace una **receta**? Explica tu respuesta. **Evaluar**

5. Lee "Roja y sus amigos" en las páginas 372 y 373. ¿En qué se parece a *¡Co-coró-co-cocina!*? ¿En qué se diferencian? Usa detalles de ambos cuentos en tu respuesta. **Leer/Escribir para comparar textos**

Bienvenidos a la
panadería

Eric Michaels

¿**A**lguna vez has entrado a una panadería y has disfrutado los maravillosos sabores y aromas de panes, tartas y pasteles recién horneados? ¡Para hacer todos estos productos de panadería, hay que trabajar mucho!

La mayoría de los panaderos comienzan a trabajar a las tres o cuatro de la mañana. Deben hacerlo para que los panecillos, magdalenas y panes estén listos para la venta antes de la hora del desayuno.

Cuando uno piensa en todos los productos que se venden en una panadería, ¡el trabajo del panadero resulta asombroso! El pan es tan sólo una de las cosas que hacen los panaderos. La mayoría de las panaderías hacen y venden muchas clases de pan, como pan blanco, pan integral, pan de centeno, pan francés, pan de pasas y otros.

Estudios Sociales

Género

Los artículos de **no ficción** dan información sobre gente, hechos, lugares o cosas reales.

Elemento del texto

Los **diagramas** son dibujos que ayudan a entender la información del texto.

Palabras clave

horario

secuencia

ganancias

¿Cómo se hace el pan?

Leer un diagrama

Sigue las flechas en este diagrama para ver cómo se hace el pan.

Los panaderos siguen estos pasos para hacer el pan.

1 Los ingredientes del pan se mezclan en una gran batidora.

2 La masa se deja reposar y se eleva en un recipiente grande.

3 La masa se corta en pedazos.

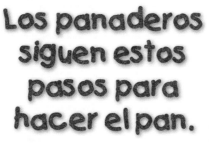

4 La masa se amasa, o se aplasta y se estira.

5 Los pedazos cortados de masa reposan y se elevan otra vez.

6 Los panes se hornean en un horno grande.

7 ¡Los panes están listos!

Al comenzar el día, los panaderos organizan su **horario** de trabajo. Planifican el tiempo para hornear, vender y comprar suministros. También planifican la **secuencia** para hornear, por ejemplo, qué deben hornear primero.

Un día de un panadero

Los panaderos deben hacer y mezclar la masa que utilizan. Cada tipo de pan se hace con un tipo diferente de masa. Cada ingrediente de la masa debe ser cuidadosamente pesado o medido.

Luego, se deben mezclar los distintos ingredientes. Las panaderías tienen enormes recipientes y máquinas para hacer la mezcla. Después de mezclar los ingredientes hasta formar una masa pegajosa, se debe dejar "reposar" durante varias horas. ¡No se puede apresurar el proceso de la masa! Luego, se cortan a mano trozos de masa y se pesan. Cada trozo se convertirá en un pan. ¡Pero aún no está listo para ser horneado!

La masa aún debe ser amasada. Esto significa que un panadero debe estirarla y aplastarla una y otra vez hasta que se sienta más suave y todos los ingredientes estén completamente mezclados. Luego, se le da la forma definitiva a la masa. Algunas tendrán forma redonda, otras largas y delgadas y otras parecerán grandes trenzas.

¡Todavía no podemos poner estos panes en el horno! Necesitan "reposar" nuevamente. Finalmente, están listos para ir al horno. Un horno de panadería puede ser del tamaño de una habitación. El panadero vigila cuidadosamente mientras el pan se hornea. Cuando los panes están tostados, se sacan del horno para que se enfríen. Entonces están listos para ser vendidos.

Tener una panadería

Una panadería es una empresa; por lo tanto, un buen panadero debe ser también un buen empresario. Comprar los ingredientes, fijar los precios y calcular las **ganancias**, o cuánto dinero se gana, son tareas que forman parte del negocio.

Tener una panadería es una tarea ardua, pero hornear productos bellos y deliciosos puede ser divertido y gratificante. ¡Después de todo, la gente siempre está feliz de disfrutar las delicias que crean los panaderos!

 ## Pensamiento crítico

1. Lee el diagrama de la página 401. ¿Qué sucede antes de que la masa de pan se corte en pedazos? ¿Qué sucede luego de que el panadero amasa la masa? **Leer un diagrama**

2. ¿Qué clase de persona sería un buen panadero? Explica tu respuesta. **Analizar**

3. Piensa en este artículo y en *¡Co-coró-co-cocina!* ¿Qué consejos podría darles un panadero de verdad a los animales del cuento? **Leer/Escribir para comparar textos**

Estudios Sociales

Investiga recetas de cocina de otros países. Dibuja y rotula un diagrama que muestre cómo preparar la receta más sabrosa que hayas encontrado. Ponle un título a tu diagrama.

 Busca información sobre recetas de cocina en **www.macmillanmh.com**

Desarrollo del personaje: Cambio

Los buenos escritores muestran cómo **cambian sus personajes** a lo largo del cuento.

Conexión: Lectura y escritura

Lee el siguiente pasaje. Observa cómo la autora Janet Stevens nos ayuda a ver cómo el gallo y la tortuga enseñan al cerdo y a la iguana.

Pasaje de
¡Co-corocó-co-cocina!

La autora nos deja saber que el cerdo y la iguana necesitan ayuda con la receta. *Vemos que necesitan aprender algunas cosas.*

—Todavía no, cerdo —dijo la tortuga—. Ahora cortamos la mantequilla.

—Yo puedo hacer eso —dijo la iguana—. Oh, estas tijeras no cortan muy bien la mantequilla.

—No, no, no —dijo el gallo—. No cortes la mantequilla con tijeras. Usa estos dos cuchillos, así.

El gallo cortó la mantequilla en trocitos y la incorporó hasta que se formaron migas como de pan.

—Eso parece extremadamente seco —dijo el cerdo—. Tal vez debería probarlo.

404

Lee y descubre

Lee el resto de la historia de Greta. ¿Cómo mostró Greta el desarrollo del personaje y su cambio? Usa el control de escritura como ayuda.

Perro perdido
Greta F.

Cuando Sara volvió a casa, Peludo no vino a saludarla. ¡Peludo se había perdido! Pero entonces Sara oyó un ladrido que era, sin duda, de él. Sara se dio la vuelta. ¡Allí estaba Peludo!

Sara bañó a Peludo. Lo lavó muy bien, no sólo lo metió en el agua. Lo frotó y lo secó con una toalla. Peludo quedó sin una mancha.

Lee sobre cómo bañaron a Peludo.

Control de escritura

 ¿Describió la autora cómo **cambia** uno de los **personajes**?

 ¿Incluye la autora detalles específicos sobre ese personaje?

 ¿Tienes una imagen clara en tu mente del desarrollo del personaje?

« HABÍA » UNA VEZ...

A platicar

¿Conoces alguna historia que haya pasado de generación en generación en tu familia?

Busca información sobre cuentacuentos en **www.macmillanmh.com**

409

¿Dónde están las rosas?

Vocabulario

desmochado asfixiar
indiferente desconfiado
insaciable presa
mandíbula

Diccionario

Las **palabras desconocidas** se pueden buscar en un diccionario para saber su significado. Busca en un diccionario el significado de *insaciable*.

Aquella mañana cuando salí al jardín, descubrí con horror que todos los rosales estaban **desmochados**. Se lo conté a mi hermano Claudio pero no me hizo mucho caso.

—No te preocupes —dijo—. Las rosas vuelven a salir. Por cierto, ¿felicitaste a mamá?

¡No me acordaba! ¡Pobre mamá! Vaya disgusto se llevará si se entera que todas las rosas del jardín han desaparecido justo el día de su cumpleaños. No podía quedarme **indiferente**. Decidí investigar.

Sabía que era temporada de orugas y éstas tienen un apetito **insaciable**. Sin embargo, ni todo un ejército de orugas armado con sus pequeñas **mandíbulas**, podría haberse comido todas las rosas en una noche. Miré el suelo y vi huellas de animal. ¿Serían de oso? Imposible, eran muy pequeñas. ¿Serían de venado? No, los venados no tienen cinco dedos. Consulté en Internet y concluí que se trataba de un puercoespín. Sólo faltaba descubrirlo y darle un escarmiento. Esperé un rato, pero hacía tanto calor que pensé que me **asfixiaba**. Recordé lo que decía el artículo: "Los puercoespines son **desconfiados** y prefieren moverse por la noche".

Fui a buscar a mi amigo Juan y regresamos al atardecer con una red de pesca y una linterna, y nos escondimos entre los rosales. El ladrón no tardó en llegar. Lo alumbré con la linterna y grité: —¡Tírale la red!

Juan se la echó y el pobre animal se enredó en ella. Antes de escaparse, nuestra **presa** se las arregló para clavarnos unas cuantas púas en las pantorrillas. Entramos corriendo a casa doloridos y encontramos a mi madre con un precioso ramo de rosas en la mano.

—¿Has visto, Nicolás? Me las cortó tu padre del jardín ayer por la noche.

—¡Qué lindas rosas, Mamá! —le dije—. Feliz cumpleaños.

Volver a leer para **comprender**

Analizar la estructura del cuento
Personajes, ambiente, argumento

Los personajes, un ambiente y un argumento forman la estructura del cuento. El personaje principal es acerca de quién trata el cuento. El autor usa las acciones o los **rasgos del personaje** para desarrollar el argumento de la historia.

Vuelve a leer la selección y escribe las **pistas** en la red del personaje para conocer las características de Nicolás.

Género

Un cuento de **fantasía** es una historia inventada que no puede suceder en la vida real.

Analizar la estructura del cuento

Personajes, argumento, ambiente

Al leer, usa tu diagrama.

Lee para descubrir

¿Qué quiere saber Pigacín?

Pigacín

Alfredo Gómez Cerdá
ilustraciones de Paz Rodero

Autor
premiado

Pigacín se parecía al resto de sus hermanos. Tenía la misma forma y los mismos colores, nadaba igual que ellos, comía las mismas cosas.

Sin embargo, era mucho más pequeño que los demás.

Le gustaba escuchar las historias de Gunde, el pez más viejo de aquellos mares. Era tan viejo que su piel parecía un acordeón y sus aletas una escoba **desmochada**.

Un día, Gunde les habló de los amigos:

—Un amigo es lo mejor que existe —les dijo—. Yo he tenido un amigo de verdad.

Pigacín no sabía lo que era un amigo. Nunca antes había oído esa palabra.

Iba a preguntárselo a Gunde cuando alguien dio la voz de alarma:

—¡Que viene el tiburón!

Eran palabras mayores. Todos salieron pitando de allí, pues ninguno quería convertirse en la merienda de un voraz e **insaciable** tiburón.

Desde ese día Pigacín pensó mucho en la palabra "amigo". Si como había asegurado el viejo Gunde, un amigo era lo mejor del mundo, él quería tener un amigo.

Pero... ¿qué era un amigo? Nadie se lo había explicado.

Personaje, ambiente, argumento
¿En qué palabra piensa Pigacín? ¿Por qué?

Para poder tener un amigo antes tenía que descubrir qué cosa era un amigo.

Se encontró con un pez algo desgarbado, de larga barba y ojos saltones.

—Hola, soy Pigacín —le saludó.

—Hola, yo soy **Desconfiado**.

—¿Sabes tú lo que es un amigo? —le preguntó.

—Un amigo es alguien de quien no te puedes fiar. Hazme caso, pequeñajo, no te fíes de nadie, y mucho menos de los amigos.

Poco después se encontró con un pez gordinflón y coloradote.

—Hola, soy Pigacín —le saludó también.

—Hola, yo soy Tacaño —le respondió aquel pez, mirándolo de arriba abajo.

—¿Podrías explicarme lo que es un amigo?

—Un amigo es alguien que acaba pidiéndote alguna cosa. Cuidado con los amigos. Todos son iguales.

Pigacín llegó a un desierto. La arena se extendía por todas partes y sólo algunas plantas flacuchas bailaban en el fondo marino.

—¡Busco un amigo! —gritó Pigacín—. ¿Alguien puede decirme dónde lo encontraré?

Pero el silencio parecía reinar en aquel desierto y las plantas, **indiferentes**, no dejaban de bailar.

> **Personaje, ambiente, argumento**
> ¿Crees que Pigacín encontró lo que buscaba? ¿Por qué?

Se cruzó con miles de peces que nadaban veloces en la misma dirección.

—Hola, hola, hola..., soy Pigacín y busco un amigo.

—Yo soy Pepino —le respondió uno de aquellos peces—. Date la vuelta y nada todo lo deprisa que puedas. ¡Rápido!

—¿Si hago lo que me dices me explicarás lo que es un amigo?

—¡No pierdas tiempo! —le gritó Pepino.

¡Qué susto!

La bocaza de aquel pez tan enorme parecía cualquier cosa menos un amigo.

Sus **mandíbulas** se abrían y se cerraban sin parar.

Sus dientes quitaban el hipo y hasta la respiración.

Sus ojos, grandes como platos soperos, buscaban una **presa** con ansiedad.

—¡Buf! —resopló Pigacín—. ¡De buena nos hemos librado!

Cuando se alejaron un poco y se sintieron más seguros, Pigacín volvió a preguntarle a Pepino:

—¿Ahora me explicarás lo que es un amigo?

—Lo haré, aunque es difícil.

—¿Por qué?

—La amistad es un sentimiento. Si fuera un poeta tal vez podría explicártelo, pero sólo soy un pez normal y corriente.

Nadaban confiados en medio de un gran banco de peces, por eso no se dieron cuenta de lo que estaba sucediendo. De pronto, se vieron aprisionados por miles de cuerpos. Algo se cerraba sobre ellos y les impedía nadar con libertad.

—¿Qué ocurre, Pepino? —preguntó Pigacín muy asustado.

—No lo sé. Nunca había visto algo parecido.

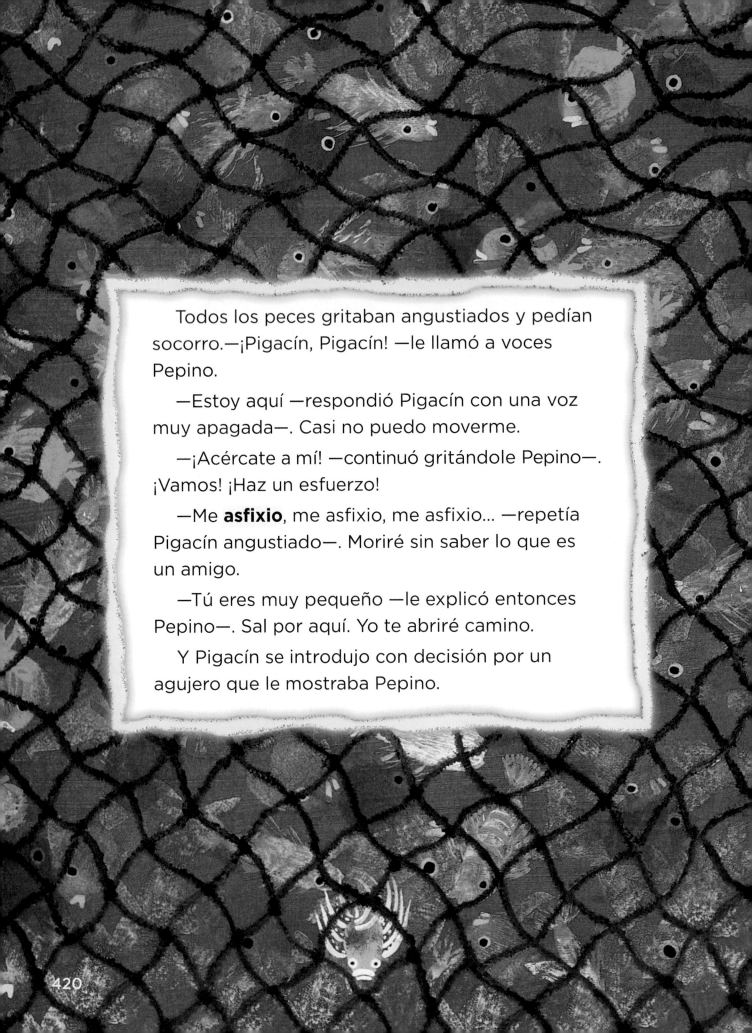

Todos los peces gritaban angustiados y pedían socorro.—¡Pigacín, Pigacín! —le llamó a voces Pepino.

—Estoy aquí —respondió Pigacín con una voz muy apagada—. Casi no puedo moverme.

—¡Acércate a mí! —continuó gritándole Pepino—. ¡Vamos! ¡Haz un esfuerzo!

—Me **asfixio**, me asfixio, me asfixio... —repetía Pigacín angustiado—. Moriré sin saber lo que es un amigo.

—Tú eres muy pequeño —le explicó entonces Pepino—. Sal por aquí. Yo te abriré camino.

Y Pigacín se introdujo con decisión por un agujero que le mostraba Pepino.

De pronto, dejó de sentir aquella insoportable presión sobre su cuerpo y se encontró volando por el aire, como si fuera un pájaro, o uno de esos peces a los que les gusta saltar fuera del agua.

—¡Pepino, Pepino! —gritaba una y otra vez—. ¿Dónde estás? ¿Por qué no vienes conmigo?

Pero Pepino era demasiado grande para escapar por uno de los agujeros de aquella red.

Al caer de nuevo al agua sintió un alivio muy grande. Recobró al instante las fuerzas que habían estado a punto de abandonarlo, y comenzó a nadar hacia el fondo.

Y de pronto lo comprendió todo.

¡Ya sabía lo que era un amigo!

En ese instante se dio cuenta de que jamás podría olvidar a Pepino.

Las aventuras de Alfredo y Paz

Autor

Alfredo Gómez Cerdá nació en Madrid, España.
Cuando era niño tenía mucha imaginación y se
inventaba cuentos que contaba a todos sus amigos
del barrio. Lo hacía tan bien y le gustaba tanto
que decidió hacerse escritor. Ha ganado el Premio
Barco de Vapor y el Gran Angular de Literatura
Juvenil, entre muchos otros.

Ilustradora

Paz Rodero nació en la hermosa ciudad de
Salamanca, España. Cuando era niña, recibió de
regalo un maletín de pintora con paleta. Tanto le
gustaba pintar que decidió dedicarse a ilustrar
cuentos. Las ilustraciones de Pigacín las hizo antes
de que se escribiera el libro. Un día se las enseñó a
su amigo Alfredo y le gustaron tanto que decidió
escribirles un texto.

Otro libro de
Alfredo Gómez Cerdá

EL BARCO DE VAPOR

Alfredo Gómez Cerdá
**Amalia, Amelia
y Emilia**

Ilustraciones de Margarita Menéndez

11ª EDICIÓN

sm

Conéctate

Busca información sobre
Alfredo Gómez Cerdá y Paz Rodero
en **www.macmillanmh.com**

Propósito del autor

Identifica los detalles que te permiten determinar el propósito
de Alfredo Gómez Cerdá.

✔ Pensamiento crítico

Resumir

Resume la búsqueda de Pigacín por conocer qué es un amigo. Usa tu diagrama y describe el personaje principal del cuento.

Pensar y comparar

1. Piensa en el **personaje** principal, ¿cómo termina su búsqueda? **Analizar la estructura del cuento: Personajes, ambiente, argumento**

2. ¿Por qué crees que **Desconfiado** no ayuda a Pigacín a averiguar qué es un amigo? Usa detalles del cuento en tu respuesta. **Analizar**

3. ¿Qué le dirías a Pigacín si te preguntara qué es un amigo? **Aplicar**

4. ¿Por qué crees que a las personas nos gusta tener amigos con intereses parecidos a los nuestros? Explica tu respuesta. **Evaluar**

5. Vuelve a leer "¿Dónde están las rosas?" en las páginas 308 y 309. Compara la experiencia del narrador con la experiencia de Pigacín. ¿En qué se parecen? ¿En qué se diferencian? Usa detalles de ambos cuentos en tu respuesta. **Leer/Escribir para comparar textos**

Haikus

Poesía

Un **haiku** es un poema sobre la naturaleza que describe un momento o una escena en tres versos. El primero y el tercero tienen cinco sílabas cada uno. El segundo, en general, tiene siete sílabas.

Elementos literarios

La **aliteración** es la repetición de sonidos.

Una **metáfora** consiste en comparar dos cosas diferentes de manera que parezcan similares.

Bajo la luna
la sombra que se alarga
es una sola.

Jorge Luis Borges

"Llanto del cielo" es una metáfora.

Flor de tristeza
que se abre cuando el llanto
del cielo empieza.

Alfredo Boni de la Vega

paraguas

424

Alba

**Sobre la arena
escritura de pájaros:
memorias del viento.**

Octavio Paz

El sonido *re* se repite
en *sobre* y *arena*,
formando aliteración.

Pensamiento crítico

1. ¿Qué elementos se comparan en la metáfora señalada del haiku de Alfredo Boni de la Vega? **Metáfora**

2. ¿Qué escena se describe en ese mismo haiku? **Evaluar**

3. ¿Qué escena del cuento *Pigacín* elegirías para escribir un haiku? **Leer/Escribir para comparar textos**

Conéctate
Busca información sobre los haikus en **www.macmillanmh.com**

Conexión: Lectura y escritura

Lee el siguiente pasaje. Observa cómo el autor Alfredo Gómez Cerdá nos muestra cómo Pigacín intenta aprender algo.

Pasaje de *Pigacín*

El autor crea a un personaje que está intentando aprender lo que es un amigo. Observamos al personaje y nos preguntamos si será capaz de aprenderlo y cómo lo hará.

Al caer de nuevo al agua sintió un alivio muy grande. Recobró al instante las fuerzas que habían estado a punto de abandonarlo, y comenzó a nadar hacia el fondo.

Y de pronto lo comprendió todo.

¡Ya sabía lo que era un amigo!

En ese instante se dio cuenta de que jamás podría olvidar a Pepino.

Lee y descubre

Lee lo que escribió Enrique. ¿Cómo mostró el desarrollo del personaje en su texto? Usa el control de escritura como ayuda.

Cansada de esperar
Enrique H.

Talia salta, cambiando de un pie al otro, mientras espera en la fila. Una mujer la mira con antipatía, así que Talia le devuelve la mirada. Su madre la mira con enfado.

Lee lo que le pasó a mi hermanita.

De regreso al auto, Talia se está preguntando cuál será su castigo. En el auto nadie habla. Talia se sienta en silencio sin mirar a nadie.

Control de escritura

✓ ¿Mostró el autor cómo cambia o aprende uno de sus personajes?

✓ ¿Incluyó el autor detalles sobre el personaje?

 ¿Tienes una imagen clara en tu mente del **desarrollo del personaje**?

NOTICIAS
de la escuela

Repaso

Hacer inferencias

Opinar

Idea principal y
  detalles

Prefijos

Diagrama

Cuando Kevin supo la noticia, no lo podía creer. Su maestra de segundo grado, la señora Blanco, había ganado el premio "Maestro del año". Kevin decidió escribir sobre la señora Blanco en el periódico de la escuela.

Después de clase, Kevin fue en su bicicleta a la casa de la señora Blanco. Había un grupo de periodistas de radio y televisión en la puerta de su casa.

—Señora Blanco, ¿puedo hablar un minuto con usted? Es para el periódico de la escuela —dijo Kevin.

—Lo siento Kevin, de verdad que no tengo tiempo. Les estaba diciendo a estos periodistas que tengo que ir a la clase de preparación para maestros.

—¿A clase? ¡Usted es una maestra! —gritó Kevin.

—Todavía voy a clase cada semana. En la clase aprendo más sobre cómo ser una buena maestra —explicó la señora Blanco sonriendo y se marchó.

"¿Qué podía hacer para hablar con ella?", se preguntó Kevin. Tuvo una idea. Escribiría sus preguntas en una carta.

Querida señora Blanco:

¡Felicitaciones! Trabajo en el periódico de la escuela y quiero saber si podría usted contestarme unas cuantas preguntas.

1. ¿Siempre quiso ser maestra?

2. ¿Tiene alguna mascota?

3. ¿Tiene alguna afición?

4. ¿Qué consejo le daría a los jóvenes que quieren ser maestros?

¡Gracias por su ayuda!

Atentamente,
Kevin Acosta

Kevin metió la carta debajo de la puerta de la señora Blanco. Al día siguiente, Kevin encontró una nota en su pupitre cuando llegó a clase. Decía así:

Querido Kevin:

Me alegra que trabajes en el periódico. Intentaré responder a tus preguntas:

1. La verdad es que al principio quería ser doctora. ¡Pero entonces comprobé que no soporto ver sangre!

2. Tengo un precioso gato anaranjado que se llama Mota.

3. Me gusta ir de excursión y hacer artesanías.

4. Si quieres ser un buen maestro, intenta ser un buen alumno y observa cómo tus maestros ayudan a los niños a aprender.

Espero que esto te ayude. Eres un chico muy decidido, seguro que llegarás a ser el "Reportero del año".

Te deseo lo mejor,

Señora Blanco

Venus atrapamoscas, ¡una planta con trampas!

Imagínate una planta que se alimenta de seres vivos. ¿Podrías creer que es una planta de otro planeta? Pues te equivocas. Es una fascinante planta nativa de Estados Unidos que se alimenta de animales. Y no es tan rara como tú piensas.

Es posible que hayas oído hablar de las plantas carnívoras. Carnívora quiere decir que come carne. Se llama Venus atrapamoscas y crece en zonas húmedas o pantanosas, cerca de la costa de Carolina del Norte y Carolina del Sur.

La Venus atrapamoscas no mide más de un pie de altura. La planta tiene flores blancas en primavera, aunque lo interesante de esta planta son sus hojas. Las hojas tienen partes que se abren y cierran, y tienen espinas duras. Éstas son las "trampas" de la planta.

La Venus atrapamoscas come moscas, hormigas, arañas, orugas, grillos y babosas. Como otras plantas, la Venus atrapamoscas obtiene la mayor parte de su alimento de la luz del sol, el aire y el agua. De los animales obtiene los otros nutrientes que necesita para vivir en el suelo húmedo.

La Venus atrapamoscas produce un líquido dulce llamado néctar, que sirve para atraer a los insectos. Cuando un insecto se posa sobre una de sus hojas abiertas, unos pelos sensibles activan la trampa para que se cierre. Al cerrarse, el almuerzo está servido.

Las espinas, o cilios, que hay en los bordes de las hojas se traban como las agujetas de un zapato. Así el insecto no puede salir. Entonces la trampa funciona como un pequeño estómago y digiere al insecto. Cada trampa caza y digiere unos cuantos insectos. Luego la planta sustituye la trampa usada por otra nueva.

Si quieres tener una Venus atrapamoscas en casa, puedes comprarla en un vivero. Hay leyes muy severas que prohíben arrancar, sin permiso, estas plantas de su entorno en un terreno público.

También es posible que veas una Venus atrapamoscas si vas alguna vez a la costa de Carolina del Norte o Carolina del Sur. Incluso es posible que la veas atrapar un sabroso insecto. ¡Buen provecho!

Estudio de las palabras

Sílabas que suenan

- Todas las palabras tienen una sílaba tónica. Eso quiere decir que siempre hay una sílaba que suena con mayor énfasis.

- Según cuál sea la sílaba tónica, las palabras se clasifican en agudas, llanas o esdrújulas.

- Escribe estas palabras y anota si son agudas, llanas o esdrújulas. Coloca tilde cuando corresponda: folclorico, leyenda, parrafo, dificil, narracion, arbol, tendre, animales, detras, aguas.

Cuentos folclóricos

El ambiente en los mitos y los cuentos folclóricos

- Los mitos explican cómo se crearon ciertas cosas. Los cuentos folclóricos explican las tradiciones de un pueblo. Ambos cuentos han existido durante mucho tiempo. Ambos usan el **ambiente** como una manera de ayudar a comprender la historia.

- ¿Cuál es el ambiente de *El secreto de la llama*? ¿Dónde se desarrolla "La historia del primer pájaro carpintero"? ¿Qué detalles explican en qué se parecen los ambientes? ¿Cómo explican en qué se diferencian?

- Halla y lee un mito y un cuento folclórico. Compara y contrasta el ambiente de ambos cuentos.

Comprensión

Uno, dos, tres, ¡Ahora!

- Las **instrucciones de varios pasos** son un conjunto de pasos que deben realizarse en orden. Leer y seguir instrucciones es una buena manera de hacer algo nuevo.

- Escribe cuatro o cinco pasos para explicar algo simple que sabes hacer y que te gustaría enseñar a otra persona. Vuelve a leer tus pasos para asegurarte de que estén en el orden correcto.

- Explica las instrucciones a un compañero o compañera. Luego cambien de rol. Lee y sigue las instrucciones de tu compañero o compañera. Vuelve a decir las instrucciones a otro compañero o compañera.

Estudio de las palabras

Los opuestos se atraen

- Dos palabras que tienen significados opuestos se llaman **antónimos**. *Fuerte* y *débil*, *ruidoso* y *silencioso* son pares de antónimos.

- Vuelve a leer "Pigacín" en las páginas 411-421. El autor usa adjetivos para que su historia sea más interesante. Halla adjetivos que tengan antónimos. Haz una lista con los adjetivos y sus antónimos.

- Escoge un cuento de la biblioteca de la clase. A medida que leas, escribe cinco palabras que tengan antónimos. Entrega la lista a un compañero o compañera y pídele que halle los antónimos de esas palabras.

Glosario

¿Qué es un glosario?

Un glosario te ayuda a entender el **significado** de las palabras. Las palabras aparecen en **orden alfabético**. Las **palabras guía** están en la parte superior de la página, y son la primera y la última palabra de esa página. Cada **entrada**, o palabra, está **dividida en sílabas**. Luego aparece la **parte de la oración**; por ejemplo, aparece la abreviatura *f.* si es un sustantivo femenino. En la página siguiente están las abreviaturas que se usan en este glosario. Algunas palabras tienen más de una **definición**, o significado.

rotar

telar

Palabras guía

Primera palabra de la página   Última palabra de la página

Ejemplo de entrada

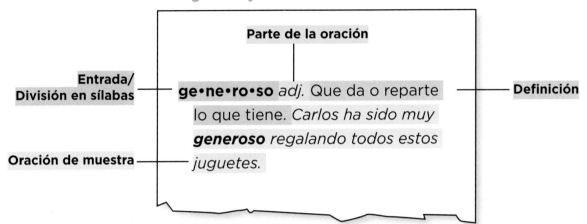

Parte de la oración

Entrada/
División en sílabas

ge•ne•ro•so *adj.* Que da o reparte lo que tiene. *Carlos ha sido muy* **generoso** *regalando todos estos juguetes.*

Definición

Oración de muestra

Aa

a•ba•ti•do *adj.* Se dice de alguien que está desanimado, triste, decaído, desalentado o muy fatigado. *Mateo está muy* **abatido** *desde que perdió a su perro.*

a•co•tar *v.* Limitar, señalar los límites de una cosa. *Tenemos que* **acotar** *el campo de juego antes de jugar.*

a•dap•tar•se *v.* Acostumbrarse a otros lugares o a otras situaciones. *Los niños tuvieron que* **adaptarse** *al cambio de escuela.*

ad•mi•ra•ción *f.* Lo que siente una persona que admira a alguien o algo. *Siento* **admiración** *por el trabajo de mi maestro.*

a•grí•co•la *adj.* Relacionado con la agricultura. *Mi padre es vendedor de máquinas* **agrícolas**.

Historia de la palabra

Agrícola viene de dos palabras latinas: *agri* que significa "campo" y *colere* que significa "cultivar".

Abreviaturas usadas en este glosario:

adj.	adjetivo
adv.	adverbio
f.	sustantivo femenino
fr.	frase
m.	sustantivo masculino
m. y f.	sustantivo masculino y femenino
n. p.	nombre propio
v.	verbo
s.	sustantivo masculino o femenino

al•bo•ro•to *m.* Ruido de voces, gritos o de otro origen. *No hagas **alboroto** que despertarás a tu hermanito.*

a•len•tar *v.* Animar. *Los niños cantaban el himno de la escuela para **alentar** a los jugadores de su equipo.*

am•bi•cio•so *adj.* Que tiene o muestra un gran deseo de conseguir algo. *Juan es muy **ambicioso** y quiere ganar mucho dinero.*

a•mi•la•na•do *adj.* Que está asustado o desanimado. *El niño estaba **amilanado** por la tormenta.*

an•siar *v.* Desear mucho una cosa. *Lo que más **ansía** Isabel es una bicicleta nueva.*

a•pi•ñar *v.* Juntarse muchas personas, animales o cosas. *Nos **apiñamos** alrededor del camión de helados.*

ar•duo *adj.* Muy difícil o trabajoso. *Limpiar el jardín fue un trabajo **arduo**.*

a•rras•trar *v.* Rozar el suelo. *Mi mamá me riñe cuando me ve **arrastrar** los pies al andar.*

as•fi•xiar *v.* Faltar o tener dificultad en la respiración. *Si respiras humo te puedes **asfixiar**.*

as•tu•to *adj.* Muy hábil para lograr cualquier meta. *El ratón es muy **astuto** para conseguir queso.*

a•ten•der *v.* Cuidar de una persona o de una cosa. *El domingo mi papá se dedica a **atender** el jardín.*

a•tis•bar *v.* Observar o mirar con disimulo. *María se puso a **atisbar** a los vecinos nuevos por la ventana.*

a•ve de pre•sa *fr.* Ave carnívora que tiene alas fuertes, pico corto y fuerte, y patas con garras afiladas. *El águila es un **ave de presa**.*

a•zo•tar *v.* Cuando el viento, las olas o la lluvia golpean repetidamente y con violencia en un lugar. *En estas montañas el viento no deja de **azotar** durante el invierno.*

Bb

brú•ju•la *f.* Instrumento que sirve para indicar las direcciones: Norte, Sur, Este y Oeste. *Los marineros usan una **brújula** para navegar.*

Historia de la palabra

Brújula viene de la palabra latina *buxis* que significa "caja". Se refiere a la cajita que contiene y protege a la aguja de la brújula.

Cc

ca•ra•va•na. *f.* Grupo de vehículos que se desplazan unos tras otros. *Los domingos siempre hay una **caravana** de carros para entrar a la ciudad.*

ca•zo *m.* Utensilio de cocina que tiene un recipiente en la parte de abajo y un mango largo. *Sirvió la sopa con un **cazo**.*

ce•tre•rí•a *f.* Caza en la que algunas aves adiestradas por el hombre cazan otras aves. *Mi tío tiene un halcón con el que practica la **cetrería**.*

cha•pa•ti *m.* Tipo de pan aplanado típico de la India. *Comí unos **chapatis** deliciosos en el restaurante indio.*

col•me•na *f.* Lugar donde viven las abejas y hacen los panales de miel. *Las abejas van y vienen de su **colmena** sin parar.*

co•lo•sal *adj.* Muy grande, enorme. *El artista terminó una escultura **colosal**.*

con•cien•cia *f.* Darse cuenta o tener conocimiento de una cosa o situación. *Es importante tomar **conciencia** sobre los problemas ecológicos.*

con•fec•cio•nar *v.* Hacer cosas materiales, como prendas de vestir o comidas. *Mario se dedica a **confeccionar** trajes de boda.*

con•si•de•rar *v.* Opinar, creer. *La directora **consideró** que el trabajo de los estudiantes fue bueno.*

cons•te•la•ción *f.* Conjunto de estrellas que forman una determinada figura. *Orión es mi **constelación** favorita.*

con•ta•mi•na•ción *f.* Cuando hay en un lugar sustancias que lo perjudican y estropean. *La **contaminación** de los océanos es un grave problema.*

con•te•ner *v.* Tener dentro. *Esa botella **contiene** leche.*

co•pla *f.* Pareja de personas, animales o cosas que tienen alguna semejanza. *He visto un documental sobre la vida de una **copla** de halcones.*

cor•pu•len•to *adj.* Que es grande, alto y fuerte. *El oso es **corpulento**.*

cru•cial *adj.* Que es muy importante, decisivo. *La ayuda de mi mamá fue **crucial** para terminar mi tarea.*

Dd

dé•bil *adj.* Que tiene poca fuerza. *Como no desayuné me sentí muy **débil**.*

des•con•cer•ta•do *adj.* Que está sorprendido, sin saber qué hacer. *La obra de teatro fue muy extraña y dejó al público **desconcertado**.*

des•con•fia•do *adj.* Que no confía en nada. *Es muy **desconfiado** y nunca habla con desconocidos.*

des•gar•ba•do *adj.* Que no tiene gracia o elegancia al caminar o al moverse. *Como es tan alto, Mariano tiene un aspecto **desgarbado**.*

des•ma•de•ja•do *adj.* Sin fuerzas y muy cansado. *El largo día de trabajo me dejó **desmadejado**.*

des•mo•cha•do *adj.* Que ha perdido la punta o la parte superior, dejándolo mocho. *Cayó un rayo y dejó el pino **desmochado**.*

des•ti•no *m.* Lugar al que tiene que ir una persona o una cosa. *El **destino** de este avión es París.*

de•ter•mi•nar *v.* Tomar una decisión. *El maestro va a **determinar** cuándo iremos a la excursión.*

dis•cu•tir *v.* Mostrar desacuerdo una persona con otra, reñir. *Mi hermano empezó a **discutir** con su amigo sobre cuál de los dos era más alto.*

Ee

e•co *m.* Repetición de un sonido al chocar contra un cuerpo duro. *Escuchamos nuestras voces repetidas por el **eco** en la montaña.*

Historia de la palabra

En la mitología griega, Eco era una bella ninfa. Murió de amor, y de ella sólo quedó su voz, repitiéndose eternamente.

e•je *m.* Línea recta que pasa por el centro de un cuerpo o una figura. *En los extremos del **eje** de la tierra se encuentran los polos.*

en•fa•ti•zar *v.* Poner mucho interés en destacar algo al hablar o escribir. *En mi discurso voy a **enfatizar** la importancia del deporte.*

en•gu•llir *v.* Tragar algo muy deprisa. *Mi hermano **engulle** sus dulces para no convidarme.*

es•fe•ra *f.* Figura geométrica de superficie curva en la que todos sus puntos están a la misma distancia de un punto interior llamado centro. *Una pelota es un ejemplo de **esfera**.*

es•pan•ta•pá•ja•ros *m.* Muñeco con forma humana que se pone en los campos para espantar a los pájaros. *Me disfracé de **espantapájaros** con un sombrero y un abrigo viejo.*

es•pol•vo•re•ar *v.* Esparcir sobre algo otra cosa hecha polvo, como azúcar. *Mi mamá me dejó **espolvorear** el chocolate en polvo sobre el pastel.*

es•tre•chez *f.* Escasez o falta de lo necesario para subsistir. *Vivió con **estrechez** porque no quería trabajar.*

Es•tre•lla Po•lar *n. p.* Es una estrella importante, porque a través de los años nos ha servido como brújula para guiarnos. *Encontraron el rumbo gracias a la **Estrella Polar**.*

es•truc•tu•ra *f.* Construcción o distribución de las partes que sirven de soporte. *El arquitecto diseñó una **estructura** resistente para el puente.*

Historia de la palabra

Estructura viene de la palabra latina *struere* que significa "construir o edificar".

Ff

Fí•si•co *adj.* El aspecto exterior de una persona, lo que pertenece a la forma y características de su cuerpo. *Pedro puede nadar una gran distancia sin cansarse gracias a su resistencia **física**.*

fuen•te *f.* Lo que produce algo o de donde sale algo. *El sol es una importante **fuente** de energía.*

Gg

ga•la *(hacer* gala de algo) *f.* Presumir de una cosa. *Maribel siempre hace **gala** de sus lindos ojos azules.*

ga•nan•cia *f.* Dinero u otra cosa que se gana. *El vendedor de globos contaba sus **ganancias** después de la feria.*

Historia de la palabra

Ganancia viene del francés antiguo *gaaigner* que significa "cultivar la tierra" y luego se transformó en *gain* que significa "otoño", la época de cosecha. Entonces se comenzó a utilizar como "hacer ganancias por medio de cultivar la tierra".

ge•ne•ro•so *adj.* Que da o reparte lo que tiene. *César es muy **generoso**, siempre comparte lo que tiene.*

Hh

ho•ra•rio *m.* Modo en que están distribuidas las horas de un trabajo o actividad. *El lunes, el **horario** del museo es de 10:30 a.m. a 6:30 p.m.*

HORARIO		
L 10:30am	_____	6:30pm
M 10:30am	_____	6:30pm
M 10:30am	_____	6:30pm
J 10:30am	_____	6:30pm
V 10:30am	_____	6:30pm
S 11:00am	_____	9:00pm
D 11:00am	_____	9:00pm

Ii

i•den•ti•fi•ca•ción *f.* Documento personal necesario para ser reconocido. *Los viajeros muestran sus pasaportes como manera de* **identificación**.

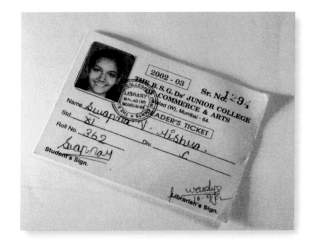

i•lu•mi•nar *v.* Dar luz o alumbrar algo. *Use la linterna para* **iluminar** *la habitación oscura.*

i•ma•gi•na•ti•vo *adj.* Alguien que continuamente imagina o piensa. *Miguel es muy* **imaginativo** *y se inventa sus propios juegos.*

im•pla•ca•ble *adj.* Que no se puede calmar o amansar. *Una tormenta* **implacable** *hizo naufragar el barco.*

im•pre•de•ci•ble *adj.* Que no se puede predecir o saber qué ocurrirá. *En primavera el tiempo es* **impredecible**, *puede llover o puede hacer sol.*

in•cli•na•ción *f.* Acción de cambiar la posición de una cosa para que deje de estar vertical u horizontal. *La* **inclinación** *del plato hizo que los pasteles cayeran al suelo.*

in•di•fe•ren•te *adj.* Que no le interesa alguien o algo, que le da igual. *Estaba* **indiferente**, *me daba igual salir que quedarme en casa.*

in•gre•dien•te *m.* Cada una de las cosas con que se hace una comida o una bebida. *El chocolate es un* **ingrediente** *fundamental para hacer esta torta.*

in•hós•pi•to *adj.* Se dice de los lugares y otras cosas que son desagradables, en los que no se está a gusto. *La casa era* **inhóspita** *porque era fría y húmeda.*

in•sa•cia•ble *adj.* Que no se satisface y siempre quiere más. *El perro tenía una sed* **insaciable**.

ins•pec•ción *f.* Acción de mirar o examinar algo con detalle. *Ana hizo una* **inspección** *de la habitación para buscar la llave.*

in•ves•ti•gar *v.* Realizar actividades para aprender más sobre un determinado tema. *Estamos* **investigando** *sobre los seres vivos.*

Jj

jo•ven *adj.* Que tiene poca edad. *Este árbol todavía es **joven** y hay que regarlo mucho.*

Historia de la palabra

Joven viene de la palabra latina *juvenil*. De esta palabra también viene el comparativo *iunior*, por lo tanto *junior* quiere decir "el más joven".

Kk

kim•chi *m.* Comida típica de Corea, elaborada con verduras adobadas, de sabor salado y picante. *La receta más común de **kimchi** se hace con col chino.*

Ll

la•bo•res *f.* Trabajos o actividades que hace alguien. *El cocinero estaba muy atareado en sus **labores** de cocina.*

Mm

ma•de•ja *f.* Ovillo de lana o hilo. *Compré una **madeja** de lana verde para hacer una bufanda.*

ma•dri•gue•ra *f.* Cueva pequeña y estrecha donde viven algunos animales. *El conejo huyó y se escondió en su **madriguera**.*

mag•ní•fi•co *adj.* Muy bueno, excelente. *Esta película me ha encantado, es **magnífica**.*

ma•ja•de•rí•a *f.* Tontería, cosa ridícula. *Mi hermano siempre está haciendo* **majaderías**.

man•dí•bu•la *f.* Cada hueso donde están los dientes y que forma la boca de los vertebrados. *El dentista pidió una radiografía de mis* **mandíbulas**.

man•sa•men•te *adv.* De manera dócil y pacífica. *El perro se me acercó* **mansamente** *y pude acariciarlo.*

ma•yo•rí•a *f.* La mayor parte de lo que se habla. *La* **mayoría** *de los niños prefirió helado de chocolate antes que el de vainilla.*

me•lli•zos/zas *adj. Hermanos* que han nacido a la vez. *Mi hermana y yo somos* **mellizas**, *pero tenemos un carácter muy diferente.*

Historia de la palabra

En español tenemos dos palabras para referirnos a los nacidos al mismo tiempo: gemelos y mellizos. Las dos vienen de la palabra latina *geminus* que significa "dos iguales". De su diminutivo *gemellicius*, deriva en español mellizos.

Nn

na•da *f.* Ninguna cosa. *Me siento mal y no quiero comer* **nada**.

Oo

o•bra ma•es•tra *fr.* Trabajo de un autor o artista que tiene mucho mérito e importancia. *"Las Meninas" de Velázquez es una* **obra maestra** *de la pintura.*

os•cu•re•ci•do *adj.* Falta de luz y claridad. *El cielo se ha* **oscurecido**, *creo que va a llover.*

o•te•ar *v.* Mirar desde un lugar alto. *Me gusta* **otear** *el mar desde lo más alto del acantilado.*

Pp

pa•ra•cai•dis•ta *s.* Persona entrenada en el manejo del paracaídas. *Los **paracaidistas** descendieron en un campo alejado de los caminos.*

pa•vo•ne•ar•se *v.* Presumir mucho. *A ese actor le gusta **pavonearse** delante de los fotógrafos.*

plei•to *m.* Enfrentamiento entre dos o más personas. *Todos los niños quieren el mismo juguete, va a ser difícil resolver este **pleito**.*

plu•món *m.* Plumaje muy suave que tienen las aves. *La madre arregla el **plumón** de su pichón.*

po•se•sión *f.* Cosa que se posee, que se tiene. *Esta casa es una **posesión** de mi abuelo.*

pre•cia•do *adj.* Valioso, que se estima mucho. *El oro es un metal muy **preciado**.*

pre•pa•ra•ti•vo *m.* Todo aquello que se hace para que algo pueda realizarse. *Isabel está muy ocupada con los **preparativos** de su boda.*

pre•sa *f.* Animal que puede ser atrapado o cazado. *El venado es una **presa** muy difícil de atrapar.*

pro•du•cir *v.* Dar algo la tierra, la naturaleza o los animales. *Las abejas **producen** la miel y la cera.*

Rr

re•ce•ta *f.* Escrito que dice cómo hacer una comida. *Mi abuela tiene una **receta** deliciosa para hacer tortitas.*

re•fu•gio *m.* Lugar que acoge y da protección. *Encontramos un **refugio** en la montaña para protegernos de la tormenta.*

re•mo•to *adj.* Distante o apartado, lejano en el tiempo o en el espacio. *El telescopio permite a los astrónomos localizar **remotos** cuerpos celestes.*

re•sis•ten•te *adj.* Que es fuerte y resiste mucho. *Tengo unas botas para la nieve de un material muy **resistente**.*

re•ti•rar *v.* Apartar, desviar o separar una cosa de otra o de un sitio. *Todos* **retiramos** *los platos después de comer.*

ro•bus•to *adj.* De aspecto fuerte y sano. *Los jugadores de fútbol tienen piernas* **robustas**.

ro•er *v.* Cortar con los dientes partes pequeñas de algo. También significa: molestar, afligir o atormentar. *A mi hermano le gusta* **roer** *mi paciencia.*

ro•tar *v.* Dar vueltas alrededor de algo. *Cada planeta* **rota** *alrededor de su eje.*

rús•ti•co *adj.* Que es del campo o está en el campo. *Marcos tiene una finca* **rústica** *de olivos.*

Ss

sa•bro•so *adj.* Que tiene mucho sabor y está bueno. *Julia comió una* **sabrosa** *ensalada.*

se•cuen•cia *f.* Sucesión de cosas ordenadas. *El testigo narró la* **secuencia** *de hechos del accidente.*

sím•bo•lo. *m.* Dibujo u otra cosa que representa algo por tener relación o parecido con ello. *El corazón es el* **símbolo** *del amor.*

sin•gu•lar *adj.* Especial, raro. *Hoy ocurrió algo* **singular**: *un rebaño de ovejas atravesó la ciudad.*

so•bre•vi•vir *v.* Conseguir estar vivo a pesar de un peligro. *Los excursionistas perdidos en la selva lograron* **sobrevivir** *comiendo plantas.*

so•fis•ti•ca•do *adj.* Que está hecho o pensado para que resulte elegante. *Se hizo un vestido muy* **sofisticado** *para la fiesta.*

su•je•tar *v.* Agarrar a alguien o algo para que no se caiga o se suelte. *Pablo me* **sujetó** *por el brazo para que no me cayera.*

Historia de la palabra

Sujetar viene de la palabra latina *subiectus* que significa "puesto debajo o sometido".

sus•tan•cio•so *adj.* Que alimenta mucho. *Los frijoles son un alimento muy* **sustancioso**.

Tt

te•lar *m.* Máquina para tejer hilos y fabricar telas. *El tejedor usa el* **telar** *con mucha facilidad.*

ter•que•dad *f.* Forma de actuar de una persona que se empeña en hacer lo que quiere. *Víctor mostró mucha* **terquedad** *al insistir en ir al cine cuando nadie más quería hacerlo.*

Uu

u•fa•nar•se *v.* Estar muy orgullo o vanidoso por algo. *La maestra retó a Benito por* **ufanarse** *de tener dinero.*

u•ti•li•zar *v.* Usar. *Debes* **utilizar** *un lápiz y no un bolígrafo para hacer la tarea.*

Vv

va•rón *m.* Persona de sexo masculino. *Ayer, Elena tuvo un* **varón**, *y su nombre es Javier.*

Acknowledgments

The publisher gratefully acknowledges permission to reprint the following copyrighted material:

SIETE MADEJAS DE HILO, a translation of SEVEN SPOOLS OF THREAD: A KWANZAA STORY by Angela Shelf Medearis. Text copyright © 2000 by Angela Shelf Medearis. Illustrations copyright © 2000 by Daniel Minter. Reprinted with permission of Albert Whitman & Company.

EL PRADO DEL TÍO PEDRO by María Puncel. Text copyright © 1983 by María Puncel, Illustrations copyright © 1983 by Teo Puebla. Reprinted with permission of Ediciones SM.

LAS TORTILLAS DE MAGDA by Becky Chavarría-Chairez. Text copyright © 2000 by Becky Chavarría-Chairez, Illustrations copyright © 2000 by Anne Vega. Translation copyright © 2000 by Julia Mercedes Castilla. Reprinted with permission of Arte Público Press.

EL TREN MÁS LARGO DEL MUNDO by Silvia Schujer. Text copyright © 1997 by Silvia Schujer, Illustrations copyright © 1997 by Alberto Pez. Reprinted with permission of Alguilar Altea Tarus Alfguara S. A. de Ediciones.

POLLUELO DE PINGÜINO, a translation of PENGUIN CHICK by Betty Tathman. Text copyright © 2002 by Betty Tathman, Illustrations copyright © 2002 by Helen K. Davie.

POEMA ANTÁRTICO, a translation of ANTARCTIC ANTHEM by Jury Sierra, illustration by José Aruego and Ariane Dewey from ANTARCTIC ANTICS by Jury Sierra. Text copyright © 1998 by Jury Sierra. Illustration copyright © 1998 by José Aruego and Ariane Dewey. Reprinted with permission by Gulliver Books, Harcourt Brace and Company.

HOGARES DE ANIMALES, a translation of ANIMAL HOMES by Ann O. Squire. Copyright © 2001 by Children's Press®, a Division of Scholastic, Inc.

MARIPOSA by Federico García Lorca from LA ZAPATERA PRODIGIOSA. Published by Everest Publicatons.

LA ARAÑA by José Juan Tablada from TRES LIBROS, UN DÍA POEMAS SINTÉTICOS, POESÍA HIPERIÓN. Introduction copyright © 2000 by Juan Velasco. Reprinted with permission of Ediciones Hiperión S.L.

EL PAVO QUE ABRÍA Y CERRABA LA COLA by Ana María Machado. Text copyright © by Ana María Machado. Illustrations copyright © by Ivone Ralha. Reprinted with permission of Editorial Everest, S. A.

LA CABRA DE BEATRIZ, a translation of BEATRICE'S GOAT by Page McBrier. Text copyright © by Page McBrier. Illustrations copyright © by Lori Lohstoeter. Reprinted with permission of Atheneum Books for Young Readers, an imprint of Simon & Shuster Children's Publishing Division.

EL SECRETO DE LA LLAMA by Argentina Palacios. Text copyright © 1993 by Argentina Palacios. Illustrations copyright © 1993 by Charles Reasoner. Reprinted with permission of Troll Associates.

EL MÁS FUERTE, a translation of THE STRONGEST ONE from PUSHING UP THE SKY: SEVEN NATIVE AMERICAN PLAYS FOR CHILDREN by Joseph Bruchac. Text copyright © 2003 by Joseph Bruchac. Reprinted with permission of Dial Books for Young Readers, a division of Penguin Putnam, Inc.

¡CO-CORÓ-CO-COCINA! a translation of COOK-A-DOODLE-DOO! by Janet Stevens and Susan Stevens Crummel. Text copyright © 1999 by Janet Stevens and Susan Stevens Crummel. Illustrations copyright © 1999 by Susan Stevens. Reprinted with permission of Harcourt Brace & Company.

PIGACÍN by Alfredo Gómez Cerdá. Text copyright © by Alfredo Gómez Cerdá. Illustrations copyright © by Paz Rodero. Reprinted with permission of Editorial Everest, S. A.

Book Cover, ABUELITA OPALINA by María Puncel. Copyright © by Ediciones Grupo SM. Reprinted with permission of Ediciones Grupo SM.

Book Cover, MAGDA Y LA PIÑATA MÁGICA/MAGDA'S PIÑATA MAGIC by Becky Chavarría-Chairez. Copyright © by Arte Público Press.

Copyright © by Arte Público Press.

Book Cover, MUCHO PERRO by Silvia Schujer. Copyright © by Aguilar, Altea, Taurus Alfaguar, A.S.A. de Ediciones Infantil. Reprinted with permission of Aguilar, Altea, Taurus Alfaguar, A.S.A. de Ediciones Infantil.

Book Cover, EL TESORO ESCONDIDO Y OTRAS FOTOS DE FAMILIA by Silvia Schujer. Copyright © by Aguilar, Altea, Taurus Alfaguar, A.S.A. de Ediciones Infantil. Reprinted with permission of Aguilar, Altea, Taurus Alfaguar, A.S.A. de Ediciones Infantil.

Book Cover, EL MISTERIO DE LA ISLA by Ana María Machado. Copyright © by Editorial Everest. Reprinted with permission of Editorial Everest.

Book Cover, NIÑA BONITA by Ana María Machado. Copyright © by Ediciones Ekaré. Reprinted with permission of Ediciones Ekaré.

Book Cover, EL REY COLIBRÍ: UNA LEYENDA GUATEMALTECA by Argentina Palacios. Copyright © by Scholastic. Reprinted with permission of Scholastic.

Book Cover, AMALIA, AMELIA Y EMILIA by Alfredo Gómez Cerdá. Copyright © by Ediciones Grupo SM. Reprinted with permission of Ediciones Grupo SM.

ILLUSTRATIONS:
Cover: John Parra.

18-39: Daniel Minter. 48-49: Susan Swan. 50-69: Teo Puebla. 92-93: Susan Guevera. 94-109: Anne Vega. 122-141: Pez. 148-149: Sally Springer. 162-181: Helen K. Davis. 210-211: Miguel Tanco. 228-229: Andrea Tacheira. 230-248: Ivone Ralha. 262-283: Lori Lohstoeter. 292-293: Barbara Spurll. 304-305: Raphel Lopez. 306-323: Charles Reasoner. 326-329: Fomina. 334-335: Cindy Revell. 336-349: Lucia Angela Perez. 372-373: Shane McGowan. 374-397: Janet Stevens. 408-409: Janet Montecalvo. 410-421: Paz Rodero. 424-425: Stephanie Langley. 428-433: Philomena O'Neil.

PHOTOGRAPHY
All Photographs are by Macmillan/McGraw-Hill (MMH) except as noted below:

10-11: (bkgd) © Golden Pixels LLC / Alamy. 12: Radius Images/Alamy. 13: (br) Bettmann/Corbis. 14-15: (bkgd) James Marshall/CORBIS. 16: (tr) Myrleen Ferguson Cate/Photo Edit Inc.; (bl) Richard Hutchings/Photo Edit Inc. 17: (cl) Myrleen Ferguson Cate/Photo Edit Inc. 40: (tl) Courtesy Angela Meaderis. 41: (bl) Courtesy Daniel Minter. 43: Douglas Pulsipher/Alamy. 45: (tr) Randy Faris/CORBIS. 46-47: (bkgd) Ben Osburn/Getty Images, Inc. 70: Courtesy María Puncel. 72: (tr) Michael S. Yamashita/CORBIS; (b) Tim Matsui/Liason/Getty Images, Inc. 73: (tr) Richard Swanson//Time Life Pictures/Getty Images, Inc. 74: (tl) Michael S. Yamashita/CORBIS; (b) Stephen Ferry/Liason/Getty Images, Inc. 75: (tr) Tim Matsui/Liason/Getty Images, Inc. 77: (tr) Ryam McVay/Getty Images, Inc. 78-79: (bkgd) Elena Rooraid/Photo Edit. 80: (tl) pg 70: (t to b) courtesy of CFK; Beth Ann Kutchma, courtesy of CFK; (cl) pg 70: (t to b) courtesy of CFK; Beth Ann Kutchma, courtesy of CFK; pg 70: (t to b) courtesy of CFK; Beth Ann Kutchma, courtesy of CFK. 81: (tl) 71: (tl to cr) AP Photo; Hulton Archive/Getty Images/Newscom; Novastock/Photo Edit.; (cl) 71: (tl to cr) AP Photo; Hulton Archive/Getty Images/Newscom; Novastock/Photo Edit.; (cr) 71: (tl to cr) AP Photo; Hulton Archive/Getty Images/Newscom; Novastock/Photo Edit. 80: (tl, bl) Courtesy CFK; (c) Beth Ann Kutchma. 81: (tl) AP Photo; (cl) Fox Photos/Getty Images; (cr) NovaStock/PhotoEdit. 82: (b) Jupiter Images. 83: (tr) AP Photo/Alan Diaz. 84: (tl) David Young-Wolff/Photo Edit. 85: (b) AP Photo/City of Los Angeles/Rene Macura. 86: (tr) Ben Baker/Redux. 90-91: (bkgd) Blend/PunchStock. 110: (t) Courtesy Becky Chavarria-Chairez; (b) Courtesy Anne Vega. 112: (l) Photodisc/Getty Images, Inc.; (b) Greg Kuchik/Getty Images, Inc.; (t) foodfolio/Alamy. 114: (l) Photodisc/Getty Images, Inc.; (t) Jon Burbank/The Image Works, Inc.; (bl) Foodpix. 115: (tl) Foodfolio/Alamy. 117: (tr) Michael Newman/Photo Edit Inc. 118-119: (bkgd) © Adamsmith/Taxi/Getty Images. 120: (tr) Royalty Free/CORBIS; (bl) Royalty Free/CORBIS. 121: (c) Royalty-Free/CORBIS; (cr) Bob Krist/CORBIS. 144: Chuck Savage/Corbis. 145: (t)